D0043072

USED BOOK

DEC 1 9 2007

Sold to Aztec Shops, Ltd.

LA FEMME SANS SÉPULTURE

ASSIA DJEBAR

La Femme
sans sépulture

ROMAN

ALBIN MICHEL

© Éditions Albin Michel S.A., 2002.

A Claire Delannoy
avec mon affection.

Avertissement

Dans ce roman, tous les faits et détails de la vie et de la mort de Zoulikha, héroïne de ma ville d'enfance, pendant la guerre d'indépendance de l'Algérie, sont rapportés avec un souci de fidélité historique, ou, dirais-je, selon une approche documentaire

Toutefois, certains personnages, aux côtés de l'héroïne, en particulier ceux présentés comme de sa famille, sont traités ici avec l'imagination et les variations que permet la fiction.

J'ai usé à volonté de ma liberté romanesque, justement pour que la vérité de Zoulikha soit éclairée davantage, au centre même d'une large fresque féminine – selon le modèle des mosaïques si anciennes de Césarée de Maurétanie (Cherchell).

Si faire entendre une voix venue d'ailleurs
Inaccessible au temps et à l'usure
Se révèle non moins illusoire qu'un rêve
Il y a pourtant en elle une chose qui dure
Même après que s'en est perdu le sens
Son timbre vibre encore au loin comme un orage
D'où on ne sait s'il se rapproche ou s'en va.

Louis-René DES FORÊTS,
Poèmes de Samuel Wood, 1988.

Prélude

1

Histoire de Zoulikha : l'inscrire enfin, ou plutôt la réinscrire...

La première fois, c'était au printemps de 1976, me semble-t-il. Je me trouve chez la fille de l'héroïne de la ville. De ma ville, « Césarée », c'est son nom du passé, Césarée pour moi et à jamais...

La seconde des filles de l'héroïne, qui vient d'arriver d'Alger, me dévisage d'un regard ardent – un des assistants m'a hélée, en me tendant une bobine son pour le Nagra. Elle a répété mon prénom, elle a sursauté. Elle m'interpelle, et sa voix lente soudain s'emporte :

– Je vous attendais ! Ce mur qui limite notre patio, c'est bien celui de la maison de votre père, n'est-ce pas ?

Je fais oui de la tête ; en arrivant ici, une heure auparavant, je m'étais fait silencieusement la remarque : « Tout contre la vieille maison de mon père, vraiment !... »

– Je vous ai attendue des années, et vous ne venez que maintenant !

Voix haute et cabrée, cette fois, de la jeune femme. Je souris, un peu lasse.

– Je suis là ; en retard peut-être, mais là ! Travaillons !...

Elle et moi, nous avons enfin commencé : histoire de Zoulikha.

Oui, c'était au printemps de 1976. J'étais plongée dans les repérages d'un film long-métrage. J'avais d'abord vécu deux semaines dans les montagnes, dans des fermes, des maisonnettes où ne parvenait même pas, quelquefois, la grande route – la route romaine, comme disent ici les paysans de ma tribu maternelle. Le soir, je renvoyais le chauffeur de la Jeep et les assistants, tout heureux d'aller dormir dans la plaine, ou à Tipasa, dans le nouvel hôtel construit pour les touristes. Moi, je reposais chez des cousines, quelquefois au village de Ménacer, chez le demi-frère de ma mère, un fermier vieilli, toujours austère et pudique, d'autres fois dans des hameaux perdus, chez quelque tante par alliance.

Si souvent, dans maints et maints récits de mes hôtesses, le même nom était revenu : Zoulikha... Zoulikha...

« Comment, tu ne la connais pas ? Elle est de ta ville ! »

« La mère des maquisards ! » la surnommait une autre.

Deux ou trois semaines après tant de conciliabules, me voici à Césarée, enfin dans la maison de Zoulikha, d'où elle est partie au printemps de 1956 pour son destin.

Je m'installe face à sa dernière fille, Mina.

– Je t'ai attendue toutes ces années !

Elle m'interpelle à nouveau, mais en arabe dialectal. Sa phrase, avec ces mots amers, sursaute toutefois d'une secrète douceur, tremblée, prête à couler en larmes. Douceur que je perçois ainsi, peut-être à cause de la sonorité andalouse propre à l'arabe raffiné des citadines d'ici.

– Parlons ! Commençons ! ai-je répondu d'un ton ferme.

Je fixe le mur qui nous sépare de la maison de mon père – le lieu de ma première enfance... Je tente de vaincre mon remords : être restée si longtemps immobile, cette dernière année, à Alger, depuis mon retour au pays.

– Moi aussi, murmure Mina, j'enseigne à Alger. Mais au collège ! J'ai vingt-huit ans.

Elle se tait. Elle respire.

– A l'indépendance du pays, j'avais quinze ans !

Elle se tait encore. Puis elle reprend, plus bas :

– Quand ma mère a été tuée, j'avais douze ans.

2

De nouveau le printemps. Deux ans plus tard. Je finis le montage de ce film dédié à Zoulikha, l'héroïne. Dédié aussi à Bela Bartok. « L'histoire de Zoulikha » est esquissée en ouverture. Deux heures du film s'écoulent ensuite en fleuve lent : fiction et documentaire, son direct souvent, quelques dialogues entre femmes ; des flots de musique, traditionnelle aussi bien que contemporaine.

Quant à Zoulikha – sa jeunesse, ses mariages, ses enfants, sa montée au maquis en 56, ses deux années d'alarmes, de risques, de retours clandestins dans sa ville, comme pourvoyeuse de médicaments et quelquefois d'armes –, sa vie de combat, interrompue à quarante-deux ans, est restée comme suspendue dans l'espace de la cité ancienne ! Jusqu'à la scène finale, de tragédie : arrêtée, Zoulikha sort de la forêt, sous la garde de soldats. Elle harangue le cercle des hommes, avec lyrisme, avec défi. Quelques vieux paysans pleurent tandis que harkis et officiers français l'entraînent vers l'hélicoptère.

Personne ne la reverra vivante.

La « passion » de Zoulikha : son apostrophe ultime résonne pour moi, ici, chaque matin ensoleillé ; sur l'écran, des voix anonymes l'égrènent sur fond d'une musique de flûte d'Edgar Varèse...

Images du présent de la capitale antique (rues à demi désertées, une mendiante errante, belhombras au-dessus des visages de pierre, le phare millénaire immuable) ; les voix chevauchées laissent scintiller ce destin de femme : l'évocation dure quelques minutes où la caméra fouaille lentement l'espace vide des artères, des places et des statues sans regard. Comme si Zoulikha restée sans sépulture flottait, invisible, perceptible au-dessus de la cité rousse.

Opus dédié à Zoulikha, mais aussi à Bela Bartok. Le musicien hongrois était venu en Algérie, peu d'années avant la naissance de Zoulikha, l'ineffaçable.

Personne ne l'a revue vivante, en effet. Peut-être que, grâce à la musique de Bartok, je l'entends, moi, j'entends Zoulikha constante, présente.

Vivante au-dessus des rues étroites, des fontaines, des patios, des hautes terrasses de Césarée.

3

Zoulikha est née en 1916 à Marengo (Hadjout, aujourd'hui), dans le Sahel d'Alger. Le guide Hachette de ces années-là note qu'il s'agit d'un « grand et beau village, chef-lieu de commune ».

Parmi les cinq mille trois cents habitants, recensés alors, deux mille trois cents étaient européens. Les trois mille « indigènes », eux, devaient être, pour la plupart, des descendants de la célèbre tribu guerrière des Hadjouts.

Plus de cinquante ans auparavant, Eugène Fromentin avait connu cette tribu : malgré sa défaite, elle conservait un peu de son aura, du moins dans ses spectacles de fantasia.

Le peintre-écrivain évoquait aussi le magnifique lac Halloula, à proximité. Le lac fut comblé ensuite, pour laisser place à un petit village voisin de colonisation : Montebello. (Les noms de lointaines victoires napoléoniennes tentaient alors d'occulter les combats meurtriers d'autrefois, où s'acharnaient, où s'épuisaient des générations d'Arabes dépossédés.)

Le père de Zoulikha s'appelle Chaieb ; il semble avoir été un cultivateur assez aisé. Un des rares à avoir pu garder ses terres – ou peut-être les avait-il acquises de fellahs ruinés. Il fut considéré comme un « bon Arabe » par ses voisins, colons du village. C'est la fille aînée de l'héroïne (Hania, c'est-à-dire, en arabe, « l'apaisée ») qui signale ce fait. Elle précise qu'il fut le seul « notable » de sa communauté, en dehors, bien sûr, du caïd lié à l'administration. Elle ajoute, avec une note de fierté :

– Vous pensez !... Ma mère, en 1930, peu avant ses quatorze ans, avait obtenu le certificat d'études ! Elle, la première fille musulmane diplômée de la région...

Deux ans plus tard, à seize ans, lorsqu'elle désire épouser un jeune homme du village, son père ne semble pas favorable à son choix, mais il ne s'oppose pas au mariage. L'année ne s'est pas écoulée que l'époux, « de sang chaud et de tempérament trop vif », à la suite d'une violente querelle avec un Français, fuit la région, s'embarque à Alger pour la France. Tous savaient, à l'époque, qu'en « métropole » les gens manifestaient beaucoup moins de discrimination à l'égard des Nord-Africains colonisés.

Zoulikha, à la naissance de sa première fille, quelques mois plus tard, a refusé, semble-t-il, de s'expatrier pour rejoindre son mari. Hania ne sait même pas, à vrai dire, si celui-ci a donné signe de vie ou si, comme le prétend sa famille, il est mort des suites d'un accident. En tout cas, Zoulikha demande sa liberté au cadi-juge, et laisse sa fillette à la ferme : une tante stérile est heureuse de l'élever...

Hania poursuit l'évocation de la jeunesse de sa mère : faisant exception parmi les femmes de sa société, Zoulikha circulait alors au village comme une Européenne : sans voile ni le moindre fichu !

– Elle devait, certes, ce privilège à son père, sûrement ! commente, rêveuse, Hania.

Et elle ajoute cette anecdote :

– En 1939-40, les colons, dans le village, appelaient ma mère : « l'anarchiste ». Une fois, disait-elle, il y avait eu les premières alertes, par peur des raids d'avions allemands. Un fils de colons avait ricané, paraît-il, devant l'un des nôtres : « Si on nous donnait maintenant des armes, je commencerais par te tirer dessus ! » et il riait, en le narguant. Zoulikha qui passait par là était intervenue : « Là-bas, les Nord-Africains, vous les mettez en première ligne, comme chair à canon ! Ils sont en train de se battre pour vous ! Et vous, sortez donc des jupes de vos mères... » Oh oui, elle osait parler aussi directement. « La fille Chaieb », disait-on d'elle, à Marengo. Peut-être fut-ce pour cela que mon grand-père l'a laissée partir travailler à Blida !

Hania continue, comme si elle avait, par procuration, vécu, adulte, cette période : elle explique qu'à cause de la guerre il y avait le rationnement. On était servi grâce à des bons d'alimentation.

– Pourtant, même sur ce point, ajoutait-elle, ma mère remarquait tout haut : « Ah, le meilleur est pour les Européens. Quant aux indigènes, on leur réserve l'orge ! » Tout lui était prétexte pour dénoncer bien haut.

Hania sourit soudain, presque tendrement.

– Autre scène, je la tiens, cette fois, de mon grand-père : il avait un très bon ami, un Européen d'origine espagnole – un musicien très doué, un artiste qui était un réfugié de la guerre civile. Les deux amis bavardaient comme des frères ; l'Espagnol disait avec respect à mon grand-père : « Chaieb, tu te rends compte, si ta fille avait été un garçon, quelle chance tu aurais eue ! » Et le grand-père de répliquer sur le même ton : « Eh oui, ce n'est pas ma chance !... Avec une telle nature, si elle avait été un garçon ! » Il est vrai que mon grand-père avait eu, après elle, trois fils : aucun n'était resté au village. Comme le premier mari de ma mère, ils ont préféré émigrer. Eux non plus, je ne sais ce qu'ils sont devenus, dans ces années de tourmente de la guerre.

Zoulikha va ensuite se marier une seconde fois, à Blida. Mais elle demandera, peu après 1945, le divorce. Le fils né de cette union, El Habib, restera avec son père, un sous-officier de l'armée française.

Cette fois, c'est mariée à Oudai, un notable de Césarée – dont la tribu possède des vergers, un peu au sud de la ville, sur des collines à 'Izzar –, que Zoulikha vient s'installer dans ma ville. Peu avant 1950, on pouvait, dans mon quartier ancien (où je ne séjournais avec mes parents que l'été), la confondre avec mes

autres concitoyennes : couvertes du voile de
soie (de soie moirée ou, pour les plus âgées,
de soie mêlée de laine fine, pour en adoucir
les plis), la pointe d'organza raidie et à demi
transparente sur l'arête du nez, masquant
ainsi le bas du visage pour rehausser les yeux
fardés, agrandis au khôl, ainsi que le front
surmonté parfois d'un bijou d'or ou de perles.
Zoulikha devient-elle désormais une dame ?

Son mari est respecté, autant pour la tenue
de ses affaires que pour son souci d'aider la
medersa, collège libre pour les enfants de
l'élite nationaliste. El Hadj, musulman pratiquant, est tolérant : son épouse, elle, ne prie
pas. Elle a accepté, semble-t-il aisément, cette
fois, de « se voiler », mais certainement pas
par attitude conservatrice. Elle a dépassé la
trentaine : après avoir perdu des jumeaux, elle
a accouché d'une deuxième fille, puis d'un
garçon dont la naissance l'a laissée, durant de
longs mois, affaiblie.

4

Son franc-parler ne paraît pas atténué par
ces années d'« épouse au foyer ». Les bourgeoises un peu sophistiquées se racontent le
dernier esclandre, en pleine rue, de Zoulikha,
épouse Oudai.

– Juste avant « notre » guerre, murmure

une commère devant un cercle de curieuses
(ces ragots, peut-être au hammam, dans la
salle froide où l'on aime se reposer, peut-être
dans quelque noce, lorsque l'orchestre des
musiciennes fait un entracte dans son récital
de cordes, après une *touchiya*), Zoulikha,
l'épouse Oudaï... sais-tu ce qui lui est arrivé
avec les femmes des Mayo ?

– Ceux qui ont tant de chalutiers, les Italiens, enfin... plutôt les Maltais, je crois ? Les
plus riches parmi les Européens, en tout cas.

– Zoulikha, voilée et allant à une fête, a
heurté dans la rue, derrière l'église, une dame
européenne, et celle-ci a crié : « Eh bien,
Fatma ! » et Zoulikha, découvrant sa voilette,
lui a répliqué : « Eh bien, Marie ? » Elle a pris,
paraît-il, un ton presque innocent. Tu sais
aussi qu'elle parle si bien le français. L'Européenne, peut-être pas aussi bien, puisqu'elle
vient de Malte...

– Alors ?

– La Française, enfin pas de France, mais
Française quand même, était, paraît-il, tout
offusquée, surtout devant cette Mauresque
voilée. Elle s'est presque étouffée d'indigna-
tion : « Tu m'appelles Marie ? Quel toupet ! »
Alors Zoulikha, très doucement, comme à
l'école l'institutrice (et son voile découvrant
tout son visage), de lui faire la leçon : « Vous
ne me connaissez pas ! Vous me tutoyez... et,
en outre, je ne m'appelle pas Fatma !... Vous
auriez pu me dire "Madame", non ? » Il y a eu

un attroupement. Tous ont vite reconnu
« Madame Oudai ». Elle, elle a remis sa voilette sur le nez et elle a quitté le groupe
comme une reine. On n'a parlé que de cela,
hier soir, dans les patios. Les gamins, une fillette, une vieille qui passait par là...

Sur ce, la dame de Césarée, dans la salle
froide du hammam, de soupirer :

– Moi, je n'aurais probablement pas eu ce
courage. Je comprends juste un peu de français. J'aurais pu répondre avec colère à la
dame Mayo, mais en arabe ! D'ailleurs, même
si j'avais parlé comme Zoulikha, c'est de mon
maître que j'aurais eu peur surtout, en revenant à la maison. Me faire reconnaître ainsi
dans la rue, moi, une dame ! Et enlever ma
voilette... Quelle audace elle a cette Zoulikha !

– Je vais te dire bien plus, mon amie : son
mari, en sachant comment elle a parlé dans
la rue, a dû, lui, être fier d'elle. Les temps ont
changé, oh oui !

Ainsi frémissaient les conversations entre
dames de Césarée, à la veille, il est vrai, de la
guerre de libération.

1

Dame Lionne, près du cirque romain...

Mina, en attendant que le reportage sur sa mère apparaisse sur les écrans de la télévision (elle ne sait pas qu'elle attendra longtemps...), Mina décide, cet été de vacances, de quitter Alger où elle enseigne.

Elle choisit de séjourner ces mois de canicule chez sa sœur aînée ; au premier étage de la petite maison haute, elle dispose d'une chambre. De la baie longue et étroite, elle peut apercevoir un peu du port et tout l'horizon marin.

Chaque après-midi, après l'heure de la sieste, elle est dehors. Hania la croit à la plage, avec d'anciennes amies de lycée, qui, comme elle, tardent à se marier. Mina rend visite à Dame Lionne, enfin Lla Lbia, c'est son nom arabe. L'ancienne cartomancienne prédit les destins et les sorts, elle que parfois agitent, en pleine nuit, des visions de cauchemars et de tempêtes.

Pendant des années, elle a interprété ses cartes espagnoles étalées pour les visiteuses qui viennent attendre ses arrêts, certaines dans un anonymat de convenance, d'autres indifférentes au qu'en-dira-t-on.

Mina vient se taire, rêveuse, près de la Dame, l'amie de sa mère. Dame Lionne fut le seul appui de Zoulikha, au temps d'autrefois, celui des épreuves et de la pourchasse.

– Ô ma Mina, commence Dame Lionne en posant sur la table basse café noir et galettes paysannes, ô Mina, ou plutôt mon Amina – car ta mère t'a prénommée pour les jours à venir, cet aujourd'hui hélas où elle n'est plus là... Ta présence m'apporte l'*aman*, pardon ou réconciliation, comme on veut, Mina ou Amina, ma toute petite...

Mina sert le café brûlant. Elles sont assises sur des nattes, étalées à même le parterre de faïence couleur brique ; Lla Lbia appuie son dos souffrant contre le mur de chaux blanchi, deux coussins brodés posés sur ses genoux.

– As-tu croisé, en arrivant, les deux bourgeoises dans leurs voiles de soie ? Je venais de les renvoyer en leur affirmant que je ne prédisais plus l'avenir ! – Elle soupire : Le passé, les jours partagés entre ta mère et moi dans leur poids et leur lumière, ce passé, ô doux Envoyé de Dieu, me suffit désormais !

Elle s'arrête net, cale derrière son dos les coussins brodés ; les bracelets d'argent de ses poignets tintent, comme un écho de sa nostalgie. Une douceur s'insinue entre les deux femmes. Mina, attentive, reste silencieuse. Elle boit à petites gorgées le café. Chez Dame Lionne, elle se sent chez elle.

– Les deux visiteuses d'aujourd'hui ne m'ont pas crue, tu t'imagines ! Ma maison n'a pas changé : quand tous s'enrichissent et embellissent leurs demeures, elles me voient pourtant la même, assise sur le même matelas. Jusqu'à la couverture de ta tante Oudaï – elle l'a tissée des jours et des jours, il y a vingt ans de cela : oui, avec cette laine pourpre et les écheveaux noirs pour les rayures, que je lui avais apportés...

Elle rit faiblement.

– Elles voulaient me payer double, ces dames, l'une la femme du nouveau juge, et l'autre, je crois, la mère d'un commandant, paraît-il ; enfin – sa voix ironise à peine – d'un commandant d'aujourd'hui !

Mina sourit, ne dit mot. De ce patio étroit, en demi-cercle, elle aperçoit un peu du versant montagneux, qui surplombe un côté du cirque romain en ruine. Qu'elle ne me parle pas aujourd'hui... de ma mère ! se dit-elle, puis un refus intérieur l'emplit. Je ne veux plus trembler, ni souffrir ! Je voudrais dormir là-haut chez ma sœur, dans mon coin à moi, fenêtres ouvertes sur les pots de menthe et de basilic...

– Elles ne m'ont pas crue, les bonnes dames, continue Lla Lbia dans son dialecte précieux.

Elles apportaient leur or, elles allaient dénouer leurs mouchoirs pour laisser étinceler les pièces de louis anciennes... Elles voulaient me tenter, me croyant dans le besoin, alors que le seul besoin de Lui – de Lui et de Son envoyé – désormais m'éperonne...

Un silence. Dehors, par-dessus la petite muraille, quelques pas de passants ; un garçon roule sur son vélo grinçant.

– Et toi, ô Mina, qu'en penses-tu ?

– Tu as bien dit, ô Lla Lbia, après ton pèlerinage à La Mecque l'année dernière : « Le dévoilement de l'avenir, c'est péché ! » Tu as ajouté : « C'est péché et je ne le sais que maintenant : j'arrête cette pratique ! »

Dame Lionne semble absente. Mina intervient, plus vivement :

– Tu l'as promis, n'est-ce pas ? Je n'étais pas là, mais tous et toutes m'en ont parlé. Beaucoup, je le sais, ont regretté de ne plus pouvoir venir te consulter, et bénéficier encore de tes dons.

La voix de Mina s'est adoucie ; la jeune femme constate avec surprise : « Je ne veux plus bouger, ce soir, de chez Dame Lionne ! »

– Oh, reprend avec tristesse la dame qui se recroqueville, il n'y a que le passé qui reste cabré en moi. Même si je le voulais, et peut-être même sans pèlerinage à La Mecque, j'aurais arrêté mon métier car les jours à venir, tout barbouillés de suie, s'étalent ainsi devant moi.

– Envoie, ô Lla Lbia, le garçon des voisines

prévenir ma sœur : je vais passer cette nuit avec toi, jusqu'à l'aurore. Dormir, ne pas dormir, ou simplement regarder de chez toi la lune !

– Je te l'ai dit, ô Amina, tu es ma paix, tu es ma consolation !

La fille de Zoulikha apporte le tapis de prière à la dame, c'est déjà l'heure du couchant. Puis elle reprend sa pose, jambes allongées sur le carrelage froid.

Tandis que Dame Lionne se prosterne, se relève, s'accroupit dans le rythme des sourates à peine perceptibles, derrière elle, Mina guette, dans le ciel, quel quartier de la lune elle va apercevoir, en cette clarté ruisselante de la nuit.

> *J'ai vu mon amour fusillé*
> *Dans la cour d'une prison noire*
> *J'ai crié, je n'ai pas crié*
> *On lave son sang chaque soir !*

Une voix un peu aiguë s'envole par-dessus le muret de l'autre côté du patio, venant des plus vieilles maisons avec terrasse, les *douirates*, les surnomme-t-on. Les volutes du chant pur déroulent le premier vers de la complainte. Quelques secondes de suspens. Une corde de luth égrène un son grave. La voix de l'inconnue, telle une lame d'acier dans l'espace, se déchire pour le vers suivant.

– C'est la troisième fille de la maison d'à côté, celle qui devient presque aveugle... Elle improvise, elle psalmodie ainsi à l'arrivée de chaque nuit, souffle Lla Lbia. La bienheureuse, ajoute-t-elle, plus sa vue s'affaiblit, plus la passion, ou la tristesse, je ne sais, amplifie sa voix d'ange... Bénie soit-elle !

La même note de luth vibre.

J'ai crié, je n'ai pas crié !

En deux temps, un premier bref et aigu, tel un sanglot cassé, un second temps étiré, la voix de la presque aveugle s'élance. Mina se dresse d'un coup.

– Qu'a-t-elle donc ta voisine, gémit-elle, à nous tourmenter ?

Sans se lever, en lui tendant la main, Lla Lbia refait asseoir Mina.

– J'ai déjà envoyé le garçon d'à côté avertir ta sœur... Calme-toi et reste ici cette nuit. Dame Lionne, d'une voix sereine, continue : Je ne te parlerai pas de ta mère, même si elle palpite en moi chaque fois que je te vois.

Le luth, de l'autre côté, reprend la même note profonde, qui se noie vers la fin.

– Cette nuit, murmure Lla Lbia, cette nuit où l'on a fusillé les fils Saadoun... je m'en souviens comme d'hier, cela fait maintenant vingt ans !

On lave son sang chaque soir !

La chanteuse a scandé par deux fois, en mots brefs, le dernier vers.

– L'orpheline qui clame, poursuit Lla Lbia,
ce soir, à la pleine lune, ou d'autres fois, quand
les orangers fleurissent et embaument, c'était
la promise du deuxième assassiné...

Dame Lionne étend sa jambe, puis soupire :

– On l'a tant de fois demandée en mariage,
après, à l'indépendance. Elle a refusé, comme
elle refuse aujourd'hui de se soigner les yeux,
alors qu'elle ne voit presque plus ! Son chant
lancé à la lune, chant d'amour ou de désespoir, qui le sait, devient son seul élixir.

La voisine, de l'autre côté du mur, reprend
le dernier vers. Et Mina cède à de soudains
flots de larmes, dans la touffeur de la nuit.

– J'étais autrefois laveuse des morts,
commence Lla Lbia. La nuit de la mort des
fils Saadoun, ce fut pour moi, dans cette
époque de tourmente, la nuit la plus longue !
Noir son souvenir encore devant mes yeux,
que Dieu nous assiste, que Mohammed et son
ami, le doux Abou Bekr, nous soient interces-
seurs pour nous, les orphelines !

Mina tourne lentement la tête vers Dame
Lionne – visage émacié, encadré de soieries
blanches aux franges mauves se détachant
dans l'ombre translucide.

Ce qu'elle m'apprend, l'amie de ma mère, je
commence à le saisir, songe-t-elle avec acuité :
ces souvenirs me sont une pelote de laine
emmêlée dans la paume ! Face à ces ombres,

s'approcher à tâtons, ou faire détours, cercles, méandres et rosaces, pour enfin regarder la source noire, maculée de boue, de cris gelés, de pleurs non taris...

– On leur avait dit de ne pas sortir, déclame Dame Lionne. Les premiers temps, quand, pour un oui ou un non, quelque accrochage avec les partisans des montagnes proches était annoncé, le couvre-feu était décrété. Les Saadoun avaient une maison à l'entrée est de la ville, mais une de leurs sœurs était ma voisine, en ce vieux quartier des *douirates*.

La Dame rêve, écoute au-dehors un silence frileux, un frémissement, puis elle s'absente, yeux fixes, les franges de sa coiffe tremblotant dans la pénombre.

– Deux jeunes poulains, deux princes, gémit-elle, l'un de moins de vingt ans, et le troisième, leur cousin germain qui était aussi leur beau-frère... On le leur avait répété : Surtout, ce soir, ne pas sortir ! Les renseignements étaient venus des maisons des Européens, parmi lesquels surtout des Maltais, peut-être grâce au petit joaillier juif qui fournissait en bracelets et bagues les vendeuses itinérantes arabes. Leurs jeunes, par petits groupes, étaient, depuis une semaine au moins, tout excités ; certains avaient obtenu des armes des autorités elles-mêmes.

Ce jour-là, ils ont houspillé les mendiants, provoqué plusieurs paysans descendus de leurs douars pour le marché. Un vendeur d'œufs a été battu jusqu'au sang, un pauvre infirme, un ancien combattant pourtant de leur guerre. Ils se sont amusés à lui voler sa béquille ; puis ils l'ont frappé, à quatre contre lui, les lâches ! Cette scène, pas très loin de chez nous, près du four à pain ; le soir approchant, ils se sont éparpillés dans les bars de la ville. Très vite saouls, les maudits !...

Tout cela parce qu'il y avait eu accrochage, tôt le matin, sur les monts ; pourtant, parmi les soldats qui furent tués, dont on avait descendu les corps à l'hôpital militaire, il n'y avait aucun Français de la ville. Tout l'après-midi – Lla Lbia poursuit, paupières baissées sa plongée dans le passé –, la cloche de l'église, près de chez moi (cette église qui est devenue mosquée), la cloche avait sonné, heure après heure, comme si elle les excitait, eux, les démons ! Le lendemain, on allait prier pour leurs morts, puis envoyer les corps à peine refroidis de l'autre côté de la mer. Cette jeunesse venue directement de la France... Comme si ces Maltais, ces Européens d'ici, ils la connaissaient, la France. Ils l'appelaient « leur mère », eux qui n'étaient de nulle part. Nous au moins, ajoute-t-elle avec vanité, pour nos fils, nous pouvons le dire : notre mère est sous nos talons, cette terre qu'ils ont cru nous enlever.

Et elle frappe vigoureusement de son pied, se soulevant d'un coup, en s'appuyant de la hanche sur le tabouret qui résonne.

Un silence. Mina en profite pour débarrasser les verres dorés de thé, les tasses de café, puis, avec une souplesse de chèvre, elle s'accroupit, genoux croisés, à même le carrelage. Dame Lionne, la récitante, lève ses lourdes paupières ; ses yeux noircis scrutant au loin n'aperçoivent plus Mina. Comme si elle s'engloutissait vingt ans en arrière.

– Que dire de cette journée néfaste ? De cette cloche que j'entends encore à mes oreilles ? (Elle ricane.) Nos pères autrefois n'avaient-ils pas raison : « Le malheur, la désolation viennent toujours, pour nous, avec les gens de la cloche ! »

– Les fils Saadoun ? chuchote Mina avec impatience.

– J'y arrive, ma petite.

Le visage de Lla Lbia reprend une lumière de sérénité, comme si le récit, par son élan, allait la libérer, elle.

– La mère des fils Saadoun, paraît-il, alors que le jour tombait, que, dans les patios, les nouvelles du danger s'aiguisaient, leur mère supplia. Son buste penché par-dessus la rampe – chez eux, les parents habitent au premier étage, tandis que les fils les plus jeunes séjournent en bas – elle insista : « Ne sortez pas ce soir, ô mes princes ! Les chrétiens savent que votre oncle, mon frère aîné, est responsable, là-haut, des partisans. Ils nous surveillent, puisqu'ils ne peuvent l'atteindre !... Au nom de Dieu, je vous supplie, ne sortez pas ce soir, vous, les porteurs de notre avenir ! »

Elle dut parler longtemps ainsi ; ils avaient, semble-t-il, promis de rentrer avant l'heure du couvre-feu, ils disaient : « une affaire urgente » ; bref, ils ne tenaient pas en place... Comme Dieu a voulu que leur vie soit courte, ils sont sortis hélas !

Dame Lionne s'arrête, ferme les yeux ; le temps coule, translucide. Mina note que les persiennes de la porte voisine, près de la courette, se sont mises à battre. « Le vent se lève ! » se dit-elle avec un début d'inquiétude. Près de la lucarne, un quinquet est abandonné là, sur le rebord. Certainement, on ne l'allume plus ; l'électricité a été installée, il y a peu, dans la demeure fruste de Lla Lbia, sa seule fierté.

– Ils sortirent, reprend d'une voix haute Dame Lionne. Peu après, dans ma cour, là où nous nous trouvons, j'ai entendu la sirène qui n'en finissait plus de hululer... Mon fils – elle prend un ton de confidence : Tu dois savoir que j'ai adopté un fils, même si maintenant je ne sais ce qu'il est devenu, le malheureux, mon fils décide de faire quelques pas dehors, juste pour les nouvelles. Ces jours-là, le couvre-feu n'était pas absolu : deux ou trois mois après, il serait observé plus strictement. Donc, mon fils Ali, que ma protection soit sur lui, sort. Moi, j'attends debout, dans la première cour, près de l'entrée, et mon cœur me

mordait là, sous le sein, je le sentais... Ali
revint, bouleversé, en s'exclamant : « On a tué
les fils Saadoun, à ce qu'il paraît. Fusillés, ils
les ont plaqués contre le mur et ils les ont
exécutés. » Je n'ai d'abord pas bougé de ma
place. Mais je ne pus tenir. J'allai chez ma
voisine, celle qui, du haut de la terrasse, là-
bas, guettait, elle aussi, l'arrivée de son fils.
Elle entendit l'atroce nouvelle. « Badra, lui
dis-je, en secouant la tête, je cours chez la fille
du caïd, pour savoir. Là, tout près, dans la rue
du vieux hammam. » « Va plutôt chez
Mouina, leur sœur », me recommanda-t-elle.

Mon fils m'apporta mon voile blanc. Je le
pliai en deux, sur ma tête et mes épaules. Je
ne pris même pas le temps de me draper entièrement. Je gardai mes babouches de maison.
Je te l'ai dit, Mina, je sentais mon cœur me
mordre : les malheureux, les cerfs, les princes
de Noubya !

Elle souffle, Lla Lbia : long halètement.
Vingt ans plus tard, tout revit, le tranchant du
temps, et la peine, et son impatience...

– Je me précipitai chez Mouina. Une Jeep,
je me souviens, tourna le coin de la rue.
Je n'eus même pas peur. Je soulevai le heurtoir de la porte : deux coups brefs. Mouina
m'ouvrit en souriant : je me souviens que ses
mains tressaient l'une des nattes de ses cheveux qu'elle avait si noirs, une longue natte

contre l'oreille. J'invoquai le Prophète, ses femmes, ses filles, mais en moi-même, pour ne pas tout de suite l'affoler. « N'as-tu rien appris, lui ai-je dit, de chez toi ? »

« Rien, répondit-elle. Mes frères sont venus, il y a un instant, avec le pain qu'ils avaient acheté. » Et c'était vrai ! Ils avaient acheté du pain aux grains d'anis, à l'heure du crépuscule, pour leur dîner. Ensuite ils étaient passés chez leur sœur, qu'ils aimaient tant, avant de rentrer...

La voix de Dame Lionne vacille.

– Sans doute eurent-ils besoin de voir leur aînée... par nostalgie dernière !

Puis elle reprend le récit, fermement :

– Je l'avoue, moi, à la réponse de Mouina, tandis qu'elle continuait à tresser, de sa main, sa natte, que je la regardais sourire dans ce vestibule, alors que, derrière moi, la sirène avait repris, je l'avoue : dans mon cœur, à cet instant, j'ai cru que Mouina me mentait. Que le Très-Haut qui nous regarde me pardonne, à l'Heure ultime, ce doute, je ne l'explique pas, car Mouina a toujours été pour moi comme ma fille !

Pendant qu'elle insistait pour que j'entre et que je souffle un peu, arriva en trombe son jeune fils, quatorze ans à peine, mais il n'était plus un gamin, lui, le neveu des victimes. Il sanglotait, il hoquetait. « Ils sont morts ! s'écria-t-il en courant à droite, à gauche, dans la courette. Ils sont morts : Hossein, Nourre-

dine et Hamoud ! » Mouina tomba à demi.
A peine si je pus étendre mes bras sous elle.

Devant Mina, la dame aux voiles blancs
frangés de mauve ouvre en croix ses longs
bras osseux enveloppés de mousseline.

– Quand Mouina se releva, elle voulut aussitôt aller chez ses parents. Pâle, avec des
gestes d'automate, sans larmes, sans cris, elle
se débattait, la pauvre, sans faire attention
aux hoquets déchirants de son fils... Elle prit
un long voile blanc qu'elle commença à
déployer sur sa tête, sur ses longs cheveux.
Sur quoi, son mari sortit d'une pièce, un tricot
seulement couvrant ses épaules nues. Il lui
dit, j'en suis témoin : « Je ne te conduirai
pas ! »

La belle-mère sortit à son tour de la même
chambre du fond. « Je ne te conduirai pas ! »
fit-elle pareillement, à la suite de son fils.

Et Lla Lbia, de poursuivre, un ton plus bas :

– Elle est morte depuis, la vieille Touma, et
malgré ce qu'elle a dit, cette nuit-là, j'atteste
que nous avons été nombreuses à la pleurer,
sa bru la première, la si tendre Mouina. Oui,
Touma, celle-là même qui avait peur et qui
s'était mise en colère... Alors le jeune garçon,
toujours en pleurs, se jeta contre sa mère.
Moi, gardant mon calme, je pris Mouina dans
mes bras et je lui déclarai, sans plus faire
attention aux autres : « Viens, Mouina, ma
fille, je vais te conduire, moi ! » Je ne sais
plus comment elle s'habilla. C'est seulement

dehors, quand je la précédai, elle toute voilée et chaussée, que je m'aperçus, en baissant les yeux, que j'étais sortie, moi, pieds nus dans mes babouches de maison.

Nous allâmes, à petits pas, jusqu'à la demeure des siens. Nous accueillit Noubya, la mère des victimes ; belle et grande, encore jeune comme elle était à cette époque (la malheureuse, sa beauté, depuis, est bien partie, un rêve, comme pour nous toutes, bien sûr, mais elle, ce fut à cause de cette peine !). Je me souviens qu'elle me reçut avec ces mots : « Ô Lla Lbia, Nourredine, ton fils (car c'était ce dernier, son préféré), Nourredine, ton fils, grâce à qui je t'envoyais le beurre, le lait et tant de provisions fraîches de la ferme, Nourredine, ils me l'ont tué ! »

Je pleurai avec elle, la malheureuse, la serrant dans mes bras. Mais, tandis que, tout contre moi, elle frémissait, que je sentais autour le brouhaha des autres, on a entendu une voix d'homme, très claire – je ne reconnus pas laquelle – qui, d'une terrasse proche, lançait ces mots : « Ils sont en prison ! Ils sont en prison ! » Je crus, j'espérai avec force que ce fût vrai. « Tu vois, rassurai-je Noubya tout en lui essuyant les larmes coulant sur ses pommettes et en pleurant avec elle, tu vois, répétai-je, ils sont en vie ! Ils sont seulement en prison ! »

Elle n'entendait rien. Les autres parentes, du fond des chambres, enflèrent leur charivari.

Puisqu'on dit que la vraie soumission aux déci-
sions de Dieu est seule nécessaire, à cette
pensée de piété je décidai de me calmer, et de
calmer la pauvre mère. « Ils sont en prison »,
reprirent une ou deux voix dans la foule des
femmes qui déjà se drapaient toutes du blanc
du deuil. « As-tu entendu ? » murmurai-je à
Noubya, toujours dans mes bras. Dans une
chambre, Mouina, sa fille, allongée à demi,
entourée des tantes, des cousines, se frappait
les bras nus sur un rythme spasmodique.

Soudain des camions arrivèrent devant la
porte. On amenait hélas les trois corps. Seulement alors, à cette entrée et parce qu'on
allumait un à un les quinquets des longs
vestibules, toutes les femmes se cachèrent et
firent silence. Je me souviens qu'en ce début
de la nuit, la pluie s'était mise à tomber ;
et nos larmes, maintenant silencieuses,
semblaient des oueds qui, sur le carrelage, se
mêlaient à l'eau de la création.

– Deux vieilles de la famille et moi, nous
fîmes entrer les corps portés, chacun, par
deux hommes du quartier. Nous disposâmes
des matelas par terre, dans une pièce qui faisait face à l'escalier, la plus vaste des chambres où l'aîné était entré en jeune marié l'été
précédent. Les porteurs disparurent.

Nous étendîmes les trois corps paral-
lèlement dans cette chambre et j'entendis

quelqu'un recommander, en chuchotant, à une jeune servante : « Jette un drap sur le miroir de l'armoire, ma petite ! »

J'ai pris la parole devant toutes, tandis que je contemplais ces trois jeunes gens : « Ce ne sont pas des hommes, déclarai-je en les admirant devant leur mère, leur sœur et toutes les autres qui entraient en file et en silence. Ecoutez, vous toutes, et inclinez-vous : ce sont nos lions ! L'ennemi a eu peur de nos lions ! Le Messager de Dieu est leur témoin, à présent au vestibule de l'Eden !... »

Il fallait chercher où acheter des linceuls. Quelques voisins entouraient le malheureux père. Mais personne ne songeait, sauf moi, à la nécessité de l'ensevelissement. Alors j'appelai Brahem, leur cousin par alliance, celui qui a un four : un gentil garçon, pur comme un écheveau de laine. « Viens avec moi ! lui dis-je fermement. Je sais où me procurer des linceuls à cette heure. » « Dispose de moi, ô tante, me dit-il en baissant le front. Je suis comme le fils que tu as adopté. »

Je repartis, accompagnée de ce garçon, chez Othman, un allié des Saadoun. Sa femme, mise au courant de ma demande, s'apprêta à sortir avec nous ; mais son mari (il a toujours travaillé comme greffier au tribunal) la retint, lui, le lâche. « Où vas-tu ? protesta-t-il. N'est-ce pas de leur faute ? Ce sont des bandits, ils sont à l'origine de tout ce mal ! » Car il avait peur, Othman. Et pas seulement pour sa place. Le malheureux, Dieu l'a créé ainsi ; je l'ai toujours connu tel.

Et Dame Lionne, le torse redressé, fait signe de cracher sur le côté, comme si elle se sentait femme juge : Mina l'imagine, une seconde, dans ce rôle implacable, toute la ville tremblante à ses pieds, oui, cette ville d'il y a vingt ans, pleine de ses bourgeois timorés, de belles-mères méfiantes et de parentes en pleurs dans leurs voiles de deuil.

– Malgré les menaces de son mari, reprend Lla Lbia, la femme d'Othman se voila à la porte et sortit avec nous. Se joignirent aussi à notre petit groupe deux jeunes filles, deux voisines issues d'une famille très pauvre. Elles avaient tout entendu du drame.

Les autres, tous les autres, jette-t-elle sur un ton de mépris vibrant, je l'atteste, ils eurent tous peur de sortir alors, du moins les hommes dits « de bien et de fortune », ainsi que leurs femmes, épouses soumises et mères hargneuses !

Dame Lionne interrompt le récit et propose de rentrer dans les pièces : dans la nuit froide, le vent se lève, assez fort au point de renverser un ou deux escabeaux.

– Veux-tu t'allonger, te préparer au repos ? demande-t-elle maternellement à son invitée.

Mina secoue la tête.

– Comme toi, dans la chambre, je ferai

comme toi... Termine pour moi l'histoire de la famille Saadoun.

– Comme tu veux, réplique Lla Lbia, le quinquet à la main et qui, dans la pièce basse, s'installe à demi allongée devant Mina, enveloppée, elle, d'une couverture légère.

– Je t'attends ! Je t'écoute, murmure celle-ci.

– Cette même nuit, continue la conteuse dont l'ombre soudain gigantesque se profile sur le mur d'en face, j'allai chez Fatima... Je précise que Fatima était alors mon assistante pour laver les morts. Je la hélai de la rue, sans entrer chez elle. « Viens avec moi ! lui dis-je. Nous avons à coudre des linceuls... Trois, ils sont trois étendus de tout leur long, nobles martyrs, sur le dallage des Saadoun. » « Non, non ! s'écria la pauvrette derrière sa porte entrouverte, il y a danger ce soir, je n'irai pas. »

Je te l'ai dit, ricane après un silence Lla Lbia, ce n'était pas le vent, cette nuit-là, qui soufflait comme maintenant ; la pluie elle-même d'ailleurs avait cessé. Ce qui soufflait dans la ville, reprend-elle, mi-amère, mi-ironique, sur tant de citadins, c'était la peur ! Alors, je lui répondis vivement : « Ecoute-moi, ma fille au teint jauni par la lâcheté, si tu refuses de me suivre, je te le promets, je te le jure : "ils" descendront un jour des montagnes et tu verras ce qui se passera ! »

La Dame se baisse vers Mina, continue :

– Oui – elle a un grand rire libéré –, j'ai

menacé, j'ai, pour tout dire, fait du chantage ! Ma colère de toute la nuit, je crois, est ainsi tombée sur cette enfant, la pauvre Fatima qui, depuis six ans au moins, me suivait partout sans souffler mot. Elle prit son voile et, toute honteuse, sortit avec moi. Je retournai chez moi où m'attendait mon fils qui s'inquiétait. Je l'envoyai dormir dans la maison voisine ; il y passa par la terrasse. Puis je me rendis avec Fatima jusqu'à la maison des morts.

Là, nous avons travaillé trois ou quatre heures, Fatima et moi, aidées d'une parente de la famille. Le frère du père des victimes, celui qui avait un garage à l'autre sortie de la ville, m'apporta la pièce d'identité de l'un des exécutés, Hossein, je crois : elle était trouée par la balle qui lui était allée au cœur. Il avait été le seul à porter ses papiers sur lui. Vers la fin, nous nous assîmes ; nous venions à peine de terminer notre triste tâche, lorsque Mustapha arriva avec les moudjahidin. C'était la deuxième partie de la nuit, une nuit où l'orage violent venait enfin de s'arrêter.

Hassan, le garagiste, du seuil m'appela : « Fais sortir celle-ci », me souffla-t-il, en désignant Fatima qui venait de terminer. J'ai préféré sortir avec elle : nous, les laveuses des morts. Les autres femmes étaient agglutinées dehors. Pendant ce temps, les moudjahidin, paraît-il, étaient entrés pour simplement contempler les victimes, s'incliner puis repartir.

Dame Lionne s'arrête, épuisée. Elle conclut sèchement :

– Ce fut ainsi, cette nuit-là, ô ma Mina !

Mina se lève, souffle sur le quinquet qui, depuis un moment, les éclaire. Puis elle revient vers la Dame, s'incline pour baiser sa main rougie de henné. Elle pénètre dans l'autre chambre où elle sait avoir sa couche.

Dame Lionne ne bouge pas : trônant, un chapelet à la main, elle médite déjà pour la prière d'avant l'aurore.

Dehors, au-dessus des ruines du cirque romain, la nuit va se dissiper.

2

« Où trouver le corps de ma mère ? »

Quand la visiteuse, descendue de la Jeep, accompagnée de techniciens de la télévision, était entrée, Hania s'était excusée :

– Nous fêtons, la semaine prochaine, les fiançailles de mon jeune frère. Il étudie à l'école des sous-officiers de la ville, si célèbre dans le pays.

Elle posa l'assiette des cornes-de-gazelle et des bouchées d'amande et de noisette. Elle ajouta, sur un ton fier :

– Son ambition, à ce dernier enfant de ma mère, c'est de devenir aviateur !

Puis, pour justifier sa joie vaniteuse :

– Je l'ai quasi élevé. Ma mère, quand – elle hésite, une seconde –, quand elle nous quitta... pour la montagne, me le laissa dans mes bras. A peine cinq ans, il avait.

Hania avait ensuite évoqué Zoulikha, mais dans le désordre. Sa sœur Mina, qui arrivait d'Alger, allait prendre le relais dans cette quête du passé.

Mina salua l'étrangère, Hania leur proposa de s'installer dans le jardinet, à l'ombre du citronnier. Le technicien du son vérifia que le Nagra allait fonctionner sans lui. Prévenante, Hania fit servir café et pâtisseries aux assistants restés dehors, avec le chauffeur de la Jeep. Puis elle retourna à ses préparatifs de fête.

La conversation, dans le patio, entre Mina et l'intervieweuse, durerait plusieurs heures.

La nuit suivante, Mina étant allée dormir chez Lla Lbia, Hania, livrée à une soudaine insomnie, ne peut rester allongée près du mari (il ronfle, mais ce n'est pas ce qui la perturbe) : elle va et vient dans les chambres vides. Elle finit par s'asseoir dans le salon, une faible lampe éclairant sur une table le portrait de Zoulikha.

Comment, s'inquiète-t-elle, traverserai-je l'année qui me séparera de la noce ? Dans quelques jours, pour les fiançailles, la maison sera pleine : des familles voisines, des bourgeoises seront heureuses de venir la féliciter. Tout est prêt : mais ce n'est pas cette angoisse-là qui la taraude cette nuit.

La visiteuse, elle, s'est installée dans un hôtel, au centre de Césarée. Elle s'est à nouveau assise le lendemain en tailleur sur la peau de mouton, à l'ombre du citronnier ; Mina fait de même, Hania, la maîtresse de maison reste plantée là, bras ballants, soudain absente.

– Ici, dans cette ville, a-t-elle commencé (elle a une façon – question à peine amorcée, le ton pas vraiment interrogatif, suspendu – de lancer un ou deux mots brefs, puis de s'arrêter), ici... a-t-elle repris, avouant que la ville de son père, que la ville de sa mère, elle l'a longtemps désertée. Ici, les mosaïques de ce patio, aux couleurs passées, si anciennes – comme dans la maison de mon père, reprend encore l'invitée plus doucement.

Et elle secoue ses cheveux, fait signe de chasser les images de sa première enfance, déroulée là précisément – de l'autre côté du muret.

Hania n'écoute plus. Interloquée, elle s'accroche à un détail : cette femme, plus jeune qu'elle, cette voyageuse mais d'ici, a été enfant, tout près, « de l'autre côté du muret ». En ce temps-là, trente ans en arrière, Zoulikha vivait en simple mère de famille. Zoulikha était vivante !

Ma mère – se met à rêver Hania – ma mère allait et venait tranquille, moi j'avais dix ans, guère davantage ! Zoulikha... peut-être déjà enceinte de Mina, à l'époque où cette visiteuse d'aujourd'hui, alors fillette de deux ou trois ans, riait, pleurait, jouait « de l'autre côté du muret... ». Hania s'assoit, d'un coup, sur la même peau de mouton : elle n'avoue pas que ses genoux fléchissent, que les rappels si

brusques de ce passé la violentent. Peu avant
la venue de Mina, elle avait répondu calmement à toutes les questions de l'intervieweuse.
Qu'est-ce qui a changé ? Devant elle, les deux
femmes conversent presque dans l'intimité.

De la fenêtre de sa cuisine, Hania observe,
à présent, la scène. Cette étrangère qui revient
de si loin, d'horizons inconnus, mais qui, tout
de même, les semaines précédentes, a par-
couru les sentiers, les hameaux que Zoulikha
a habités les derniers mois de sa vie.

Hania se rappelle que l'une des tantes
de la visiteuse est morte dans la maison
mitoyenne ; cette voisine morte jeune, sans
descendance, était restée auparavant longtemps alitée, asphyxiée pour ainsi dire, Hania
ne sait plus de quel fléau elle a souffert ; elle
cherche, plutôt de tuberculose pulmonaire, se
remémore-t-elle.

Voici que cette nièce de la voisine tubercu-
leuse – cette inconnue, au visage aigu et non
fardé, seuls les yeux couleur noisette, noircis
de khôl, et qui a une façon lente de vous fixer –
déclenche, par son arrivée, des tornades de
souvenirs.

– Face aux journalistes, déclare enfin
Hania, quand ils viennent m'interroger sur
Zoulikha, j'ai l'impression, en déroulant des
mots... (elle passe soudain à la langue arabe,
qu'elle a plus raffinée), en parlant de Zoulikha, il me semble que, à mon tour, je la tue !

Mina, dans un élan, pénètre dans la profondeur des chambres ; ne revient plus, comme si elle s'était diluée dans l'ombre.

– Avec toi, reprend Hania en disposant dans l'assiette de l'invitée des carrés gluants d'amandes et de miel, avec toi (elle hésite, repasse au français), si je parle d'elle, je me soulage, je me débarrasse des dents de l'amertume. Oh, je sais bien, les autres femmes de la ville, aujourd'hui, pensent que je suis fière de Zoulikha (tu vois, je n'arrive pas à dire « ma mère », de son vivant déjà je l'appelais toujours par son prénom). Elles pensent, celles de Césarée, que j'exhibe mon orgueil devant elles, elles qui sont restées presque toutes calfeutrées. Tremblantes certes, mais à l'abri... Zoulikha, non ! S'approfondit en moi un manque, un trou noir que je n'ai pas épuisé !

Ô toi qui as mis si longtemps à revenir, continue-t-elle d'une voix vacillante, toi, la nièce de Houria morte à côté de chez nous, tu as fait, à ce qu'il paraît, presque le tour du monde, mais que te reprocher, tu nous es revenue, n'est-ce pas l'essentiel ?

Mina, dans la cuisine, ouvre le robinet. Elle doit s'éclabousser le visage d'eau fraîche ! pense Hania. Elle va nous rejoindre !

– Oui, poursuit-elle, rêvant tout haut. Il reste en mon cœur une morsure... En fait (elle crie), Zoulikha nous manque tant à nous, ses deux filles !

Elle pleure sans s'essuyer le visage, en laissant sa large poitrine, comprimée par un tablier de ménage, hoqueter spasmodiquement.

La visiteuse a posé la main sur son bras nu. Mina, à petits pas, revient, s'assoit en face de son aînée. Elle lui emplit un verre d'eau, où elle verse quelques gouttes d'eau de fleur d'oranger.

– Bois, Habiba. (Elle l'appelle ainsi : « mon amie ».) Bois, cela te fera du bien.

L'invitée intervient, la voix raidie, tandis que l'hôtesse, pleurant tout son saoul, trempe à peine ses lèvres dans le verre.

– Tout le monde, ô Hania, tout le monde dit que tu ressembles à Zoulikha, comme une sœur jumelle !

La fille aînée, malgré les larmes que ses mains chargées de bagues se sont mises à sécher, sourit, fière soudain.

– Maintenant surtout, depuis que je viens de dépasser quarante ans, que j'approche de l'âge où elle a disparu.

Hania renverse sa tête vers le ciel, lève une seule main, tremblante, aux doigts raidis et écartés et sa voix chavire :

– Zoulikha restée là, dans l'air, dans cette poussière, en plein soleil... Si ça se trouve, elle nous écoute, elle nous frôle !

Elle se calme, ferme les paupières et fait effort, de tous les muscles de son cou, de sa face, pour respirer longuement.

– Bien sûr, reprend-elle, Zoulikha nous demeurera cachée, mais prête à revenir, pourquoi pas ?

Hania se lève, avec noblesse et une ampleur des gestes surprenante.

– Surtout, déclare-t-elle sur un ton de tragédienne, avec un début de rire léger, Zoulikha, de cette façon, n'a jamais vieilli. (Elle se rassoit.) Elle est devenue, à jamais, ma sœur... Ma sœur jumelle ? J'aimerais bien.

Les deux femmes ne bougent ni l'une ni l'autre. L'écoutent.

– A la fin – voix affaiblie, yeux perdus, Hania s'enfonce dans les brumes –, quand j'avais, moi, à peine vingt ans, et elle quarante, et même la toute dernière fois, quand elle m'a fait tant de recommandations pour les petits qu'elle nous confiait, à mon mari et à moi, nous nous sommes parlé, longtemps... Comme deux sœurs.

– Tu as refusé pourtant de tenir son rôle, remarque à voix basse Mina, dans ce film qu'on voulait, l'an dernier, tourner à partir de sa vie.

– Cela, c'est autre chose !

Hania, durcie, prend à témoin l'invitée : Croient-ils qu'ils vont se débarrasser ainsi de son souvenir ?

Quelques rires d'enfants, venant de la rue, strient le silence.

– Tu vois, poursuit Hania, en direction de Mina, certes, je ne m'y connais guère en matière (elle hésite) « artistique », comme ils aiment dire. Mais... (elle cherche un argument), mais s'il n'y a pas d'abord le respect...

– Le respect ou la fidélité ? interroge l'étrangère, avec hésitation.

– Le respect, répète Hania. Je pense, moi, que ma mère, pas seulement comme héroïne, comme simple femme, on la tue une seconde fois, si c'est pour l'exposer ainsi, en images de télévision... (elle réfléchit), une image projetée n'importe comment, au moment où les familles entament leur dîner de ramadhan...

La nuit où Mina se blottit dans l'une des pièces minuscules et sombres de Dame Lionne, Hania – dont le prénom signifie « l'apaisée » – ne s'apaise pas. L'insomnie habituelle, se dit-elle, et maintenant, me voici droite sur mes jambes jusqu'à l'aurore ! Comme d'autres fois, Mina reviendra avant la première chaleur éclatée du jour – à l'heure où, dans chaque patio, les ménagères lavent à grands bidons d'eau ruisselante les dalles usées, couleur orange et vert passés, du sol.

Elle rentrera avec l'une des fillettes de la maison d'en face, celle qui la suit comme son ombre : Yasmina s'installera dans un coin pour jouer aux osselets (ceux qu'avait dans l'enfance Mina et que Hania lui a conservés). Yasmina demandera à « l'Algéroise » – elle appelle ainsi Mina, ce qui ne plaît pas telle-

ment à Hania – une musique ni traditionnelle, ni des chansonnettes à la mode, « la
musique », dit-elle, après qu'elle a entendu
une sonate de Mozart, et elles s'enfermeront
dans la pièce d'en haut.

Ainsi, songe Hania, ma sœur, fille de Zoulikha, l'héroïne de Césarée, est presque en
train de devenir une femme d'Alger. Ce n'est
pas juste ! L'insomnie, dans le cœur blanc de
la nuit, fournit prétexte à ratiocinations,
Hania le sait. Négligeant sa couche, elle va
d'un coin à l'autre de cette maison qu'elle a
embellie ; ses mains de ménagère tentent de
ranger encore : un bibelot, une couverture pas
à sa place.

S'impatiente-t-elle de l'absence de sa sœur
qu'elle a attendue tout le long de la semaine ?
Non, Mina, chaque début de vacances, a
besoin d'être dehors : retrouver ses lieux familiers, des coins de rue, deux ou trois maisons
de ses camarades de lycée, restées dans la
ville ; elle ira ensuite au sanctuaire de Sidi
Brahim, à l'entrée est de la ville. Elle aime
tant écouter les paysannes, et leur parler. C'est
bien mieux que d'aller à la plage, pour moi !
s'excusera-t-elle.

Hania, de nuit, de jour, ainsi se tourmente.
Quand le frère, dans un an, sera marié, que
fera-t-elle ? Il partira de la maison ; peut-être
même de la ville. Elle espère parfois : Et si
Mina prenait enfin époux ? Avec un époux,

pourquoi ne reprendrait-elle pas sa place, ici, dans la maison de sa mère ?

Voix de Hania, l'apaisée

C'était en mars 1957. Mon mari, qui venait de subir une opération chirurgicale à Alger, sortit de l'hôpital et vint à Césarée.

– Où est ta mère ? me dit-il.

Je ne voulus pas parler d'emblée.

– Elle est au hammam, répondis-je.

Je le voyais malade ; je voulais l'épargner... Puis, quelques heures après, je ne pus tenir, je lui dis tout :

– Ma mère est cachée. Elle attend de te parler ! Ensuite, elle partira.

Alors, pour s'entretenir avec mon mari, et comme nous savions que, depuis des jours et des jours, la demeure de Zoulikha était surveillée, espionnée par l'entourage, elle, toute voilée, sortit de l'abri où elle se trouvait, pour aller dans une maison de confiance, non loin. Elle sauta par-dessus deux murs mitoyens, descendit d'une terrasse et c'est ainsi qu'elle réussit, dans le secret, à parler en tête à tête avec son gendre.

Ils ont parlé. Ils sont convenus de tout pour les petits : ma jeune sœur et le tout dernier, mon frère. Puis elle retourna comme elle était venue, jusqu'à la maison des vergers,

au-dessus de la cité, où elle se cachait ces dernières semaines.

Ce fut là qu'on vint la chercher pour qu'elle
monte au maquis.

Nous sommes restés là, mon mari et moi,
avec la responsabilité des enfants, jusqu'à la
fin. Ensuite, les mois, puis l'année qui suivit,
Zoulikha vécut dans les montagnes qui sur-
plombent Césarée.

– Toute cette époque, Dieu m'est témoin,
mon oreille, sur l'oreiller, pouvait reposer tranquille : je savais, oui, je savais que Zoulikha
avait enfin la vie que son cœur demandait. Un
jour, un jeudi, nous arrivèrent à la fois un télé-
gramme et une lettre. L'un et l'autre conte-
naient ces mots : « La maman est malade de la
grippe asiatique. » Tous deux nous avons
compris qu'il y avait danger pour elle.

Mon mari, quelques mois auparavant, avait
repris son travail dans l'administration, à
Burdeau, un village loin dans l'intérieur. Dans
notre ville, dans notre maison, les enfants
avaient dû rester, à cause de l'école ; une
parente veillait sur eux. Des nouvelles nous
parvenaient d'eux régulièrement. Mon mari
ne pouvait quitter son poste au village. Il me
fallait rejoindre Césarée au plus vite, à cause
de ces mots inquiétants concernant Zoulikha.

La circulation, dans cette région, était difficile : on organisait des convois deux fois par

semaine ; en dehors de ceux-ci, aucune voiture ne pouvait passer. J'insistai auprès de
mon mari, car je sentais qu'il y avait urgence.
Il guetta la voiture du journal *L'Echo d'Alger*.
Il connaissait le chauffeur qui passait là, à
neuf heures du matin, et qui retournait
jusqu'à Alger. Cet homme, par amitié pour
mon mari, accepta que je monte à ses côtés.

– Je descendrai, lui ai-je dit, à mi-chemin,
à El Affroun, dans la Mitidja ! De là, ensuite,
je me débrouillerai.

Il me déposa donc à l'entrée de ce village,
à une pompe à essence. J'avais prévu
d'attendre le car qui allait à Césarée. Mais je
m'impatientai. Je finis par arrêter un camion
qui allait à Marengo, le village de ma mère,
où j'étais née moi aussi. Je sortis de cette
agglomération pour me poster encore à une
pompe à essence. J'arrêtai un autre camion
qui se rendait à la commune de Zurich (Sidi
Amar). Je descendis là, puis je décidai d'aller
à pied (deux ou trois kilomètres) jusqu'à la
cave de coopérative viticole de ce village : cela
me rapprochait de mon but. Passe en effet par
là la route nationale qui vient directement
d'Alger et arrive à ma ville. J'eus de la chance
encore : je fis à nouveau du stop et c'est ainsi
que j'entrai dans Césarée.

Naturellement, depuis mon départ de Burdeau où je laissai mon mari, j'avais plié mon
voile, je l'avais dissimulé dans mon sac. Ainsi,
habillée comme une Européenne, on pouvait

me prendre pour une Corse, une juive, bref une femme de chez eux. Mon voile caché, mon accent français impeccable, j'ai pu aisément circuler.

Dans ma ville, je remis lentement, dans le vestibule d'une maison, mon voile de citadine sur ma tête et, redevenue moi-même, je me suis hâtée jusqu'à la demeure de ma mère où les enfants furent si contents de me voir. Je ne leur dis rien de ce que j'appréhendais. Je me changeai. Il était quatre heures de l'après-midi.

J'allai directement chez l'avocat auquel me recommandait mon mari. C'était un Français correct, et qui nous connaissait. Il me reçut avec politesse et égards ; il me serra la main.

– Heureusement que vous êtes venue ! Vous en avez mis, du temps.

– Je n'ai appris la nouvelle qu'aujourd'hui. Le courrier a été retardé, à Burdeau.

– Soyez tranquille, me dit-il. Ils ont arrêté votre mère au cours d'une opération importante, ainsi que d'autres, tout un réseau, paraît-il. Mais elle est la seule femme. J'ai confiance. Je vais tout faire pour obtenir sa liberté provisoire... Revenez me voir lundi.

Je lui versai des arrhes et je repartis à la maison, presque rassurée.

Je retournai chez l'avocat le lundi, à demi confiante. Quand il me reçut, ce n'était plus le même homme : il me salua sans me toucher la main. Son visage était dur.

Il sortit d'un tiroir l'argent des arrhes, qu'il me tendit. Je restai sans voix.

– Voici votre argent, madame. Je regrette infiniment. Je me suis heurté à un mur. Je ne peux rien ! Personne n'a voulu me dire quoi que ce soit sur votre mère.

Mon mari, qui réussit à me rejoindre ce même soir, alla à son tour le voir, le lendemain. A lui, il ne voulut rien cacher :

– Oui, Zoulikha Oudai a été arrêtée, mais ensuite elle a été abattue.

Mon mari répliqua :

– Alors, qu'on nous donne au moins son corps. Aidez-moi !

– Je regrette, lui répondit l'avocat. Je sais qu'il sera impossible de vous rendre le corps.

– Les trois années qui ont suivi, les nouvelles qui arrivaient étaient contradictoires. Certains nous disaient : « Ils l'ont tuée ! » et d'autres : « Ils ne l'ont pas tuée ! Ils la gardent au secret !... » Les mois passaient. Quelqu'un frappait à notre porte. « Nous l'avons aperçue, dans telle prison ! » chuchotait-il avant de disparaître. Un autre affirma que, dans un camp de détention, on lui avait montré de loin Zoulikha. Un troisième, plus tard, était sûr qu'elle se trouvait parmi un groupe de prisonnières qui changeaient de lieu de détention. « On m'a précisé : c'est madame Oudai, la fameuse ! » Ainsi, jusqu'au cessez-le-feu, en mars 62.

Je passai par l'espoir, puis par le désespoir, alternativement. Je ne pouvais plus prononcer son prénom... Et la pauvre Mina, qui était dans son adolescence, sursautait pour un rien, pour quelqu'un qui nous demandait à la maison, pour... Est-ce que j'ai vécu vraiment ces années-là ?

J'étais sûre, pourtant, que, sitôt que nous pourrions parvenir jusqu'à la forêt d'où ils l'avaient sortie, ce jour néfaste, devant tous les vieux paysans des douars rassemblés, je la chercherais, je la trouverais : vivante ou morte !... J'étais sûre de cela. Plusieurs fois je vis, dans un rêve, sa sépulture : illuminé, isolé, un monument superbe, et je pleurais sans fin devant ce mausolée. Je me réveillais en larmes et il fallait reprendre un visage normal, à cause des petits.

Oui, ai-je vraiment vécu ces années de l'attente, ou n'ai-je pas plutôt rêvé que je les traversais comme elle, Zoulikha, moi, une ombre, dans son sillage ?... Tout de même, j'étais certaine, par Sidi Abdelkader el-Djilani, et tous nos saints, que sa tombe, je la retrouverais et que je pleurerais, enfin soulagée, comme dans mes rêves ! Quant à Mina, ma toute petite, qui a grandi les dents serrées, les yeux secs, engloutie seulement dans les livres, Mina, j'en ai la conviction, a gardé cet espoir tenace : Zoulikha est vivante !

– Quelques jours après le cessez-le-feu (je ne lui ai rien dit, elle qui était soudain une si frêle jeune fille), en secret, mon mari m'a accompagnée au douar des Oudai. Ils sauraient exactement d'où on l'avait sortie, ce jour de l'arrestation. Je suis alors entrée dans la sombre forêt : profonde, même si, sur tout un côté, vers le sud, des centaines et des centaines de sapins avaient été brûlés au napalm.

Un paysan nous accompagna, nous désigna la clairière où Zoulikha, enchaînée, ainsi que trois autres chefs maquisards avaient été traînés. Le vieux témoin nous dit :

– Là se trouvait le camion bâché ! De l'autre côté deux ou trois tanks, pleins de soldats. Un officier et des goumiers l'entouraient. Là, dit-il, était arrêté l'hélicoptère... J'entends encore le bruit de son hélice.

Il ne nous a rien dit d'autre ; pas même comment on l'avait transportée ensuite : dans le camion bâché, ou, comme l'avait rapporté la rumeur, directement dans l'hélicoptère. Si bien qu'à cause de ce dernier détail des bruits avaient circulé qu'on l'aurait précipitée de l'hélicoptère, le jour même de son arrestation. Je n'ai pas cru à cette légende : une prisonnière comme elle, ils ont dû l'interroger longtemps !

D'ailleurs, au maquis, ensuite, on disait, paraît-il, « C'est parce que Zoulikha n'a pas parlé, pas un mot, pas un aveu, qu'à la fin, après tant de tortures, ils l'ont jetée dans la forêt ! Son corps réservé aux chacals ! »

Le témoin – qui parfois se contredisait, mais il était si vieux ! – partit. Nous avons passé la journée entière dans cette immense forêt : j'étais sûre, si sûre de retrouver quelque chose d'elle. Une marque, un signe que ses compagnons d'armes, ceux qui en avaient réchappé, lui auraient dressé, en hommage... Mais rien.

Que dire de cette recherche, à tâtons dans les ronces et les fourrés ? Et de sa sépulture, majestueuse, apparaissant en vain dans mon rêve ? Je ne cessai d'errer jusqu'au crépuscule. « Où trouver le corps de ma mère ? » Je criais, je me bâillonnais la bouche de mes deux mains pour ne pas hurler ces mots aux oiseaux du ciel.

Si le moindre signe m'était parvenu, oh oui, j'aurais chanté à l'infini : « J'ai trouvé, moi, à force de volonté et de foi, j'ai retrouvé le corps intact de ma mère ! » Hélas ! Pas la moindre trace d'elle sur la pierre, ou dans un fossé, ou sur un tronc de chêne : rien...

Dites-moi, vous qui arrivez si longtemps après : où trouver le corps de ma mère ?

Ainsi, une parole menue, basse, envahit la fille aînée de Zoulikha, dans l'étirement de son insomnie. Elle parle sans s'arrêter, pour elle seule. Sans reprendre souffle. Du passé présent. Cela la prend comme de brusques accès de fièvre. Une fois tous les six mois ;

quelquefois une seule fois par an ; cette maladie a tendance à faiblir.

Il y a dix ans tout juste, germa en elle cette parole ininterrompue qui la vide, qui, parfois, la barbouille, mais en dedans, comme un flux de glaire qui s'écoulerait sans perte, mais extérieur... A la fois un vide et un murmure en creux, pas seulement au fond de son large corps, parfois en surface, au risque d'empourprer sa peau si transparente ; peau épuisée à force d'être tendue ; gorge serrée à force d'être presque tout à fait noyée !

Ces symptômes s'accentuent certains jours précis du mois : Hania reste alors allongée. Elle s'écoute, silencieuse, comme dans une méditation sans fin. Quelquefois, plusieurs jours de suite ! La parole en elle coule : à partir d'elle (de ses veines et veinules, de ses entrailles obscures, parfois remontant à la tête, battant à ses tempes, bourdonnant à ses oreilles, ou brouillant sa vue, au point qu'elle voit les autres, soudain, dans un flou rosâtre ou verdâtre). Quêter sans fin sa mère, ou plutôt, se dit-elle, c'est la mère en la fille, par les pores de celle-ci, la mère, oui, qui sue et s'exhale.

Un jour, c'est sûr, tenace comme une sourde-muette, la mère en elle, entêtée, soudain murmurante, la guidera jusqu'à la forêt et à la sépulture cachée.

Mais non ! La guerre finie, rien, de cette issue qu'elle a attendue, n'arrive : où trouver le corps de Zoulikha ?

Après cette déception, une sorte d'hémor-
ragie sonore persiste. Elle n'eut plus jamais
de menstrues, précisément depuis ce jour de
sa recherche en forêt. Elle n'y prend garde.
Les voisines, les parentes par alliance, quand
elle s'alite dans le silence, interrogent :
« Quand nous annonceras-tu une grossesse ?
Une naissance ? » Hania ne répond pas. Elle
sait. Etre habitée : d'autres femmes, autrefois,
disait-on, étaient « peuplées », « habitées »
– en arabe, on les surnommait les *meskou-
nates* –, mais il s'agissait à l'époque d'un djinn,
bon ou mauvais esprit avec lequel ces mal-
heureuses devaient composer, ou se sou-
mettre en silence, quelquefois tout au long de
leur vie. Une sorte d'amant invisible, malé-
fique, les dominant, les harcelant de l'intérieur. Les autres femmes alors savaient ; se
taisaient, en complices effrayées, malgré elles.

Or, depuis la guerre contre la France, toutes
ces étranges créatures – auxquelles Zoulikha
n'a jamais cru, elle qui avait appris à Hania à
se méfier de « ces sornettes » – ont fui probablement sous d'autres cieux.

3

Premier monologue de Zoulikha,
au-dessus des terrasses de Césarée

Quand ils m'ont sortie de la forêt et que j'ai franchi la ligne d'ombre, ce n'est pas le rassemblement des paysans, en large demicercle, tout au fond, qui me frappa, juste sous les deux ou trois hélicoptères qui ronronnaient assez bas, non, ma chérie, mon foie palpitant, ce qui me sauta au visage, aux yeux, à tout mon corps épuisé (je ne sentais pas, depuis des jours et des nuits, la fatigue), ce fut la lumière !

Comme si, par mes cheveux dressés un à un en l'air, par les bords effilochés de ma toge paysanne poussiéreuse, l'ange Gabriel allait me soulever, me faire planer au-dessus de la foule et des soldats agglutinés, m'incliner ensuite progressivement, scintillante sous les rayons solaires, au-dessus de la ville là-bas, en avant du phare et de la place romaine, puis au-dessus de toi, accroupie, tête levée, dans notre humble patio.

Les gardes me cernaient tout au long de ma

marche ; un brouhaha. Parmi les spectateurs, un vieillard bouscula la haie des soldats, réussit à s'approcher de moi et me tirant par le côté, par le pan de laine de ma robe brune, m'appela presque en sanglotant :

– Zoulikha ! Ô ma Hadja !

Il m'ennoblissait. On le repoussa brutalement.

– Patiente, ô mon fils, répondis-je.

Je le rajeunissais, en retour. Il ne m'entendit pas. Je ne l'aperçus plus. De fait, la lumière blanche, irréelle, nous inondait, nous aveuglait tous ; je m'acharnais à penser, en avançant jusqu'au premier camion militaire, qu'eux, les bourreaux, les chasseurs silencieux, les hommes gris portant casque et grenades, allaient me disperser aussitôt dans l'air purificateur.

Je t'ai imaginée ce matin-là : dix heures, dans la courette, près du géranium rouge, face au jasmin maintenant à demi brûlé, toi, ménagère de douze ans, l'air sérieux, lavant sans doute, à grandes eaux, les fesses nues et les jambes du petit. De mon petit dernier. Six ans, et ce strabisme qui nous inquiète ! La voisine d'en face t'a dit à peine bonjour. Elle se met à avoir peur, la voisine. Des espions jusque dans les patios appauvris et anciens...

Le camion est bâché. Dans l'hélicoptère où ils vont me hisser, peut-être, oh oui, peut-être qu'ils me laisseront enfin regarder.

Te regarder, mon foie, mon petit corps
fuselé ! Ton visage tendu par l'attente sous
tes boucles rougies, tes coudes croisés sur
ta poitrine plate, ton grain de beauté sur
la tempe... Je t'ai caressée chaque nuit, dans
la grotte, avant ton départ. Me laisseront-
ils te guetter d'en haut, dans l'hélicoptère
qu'ils me préparent, d'où ils menacent de
me précipiter juste au-delà du vieux port,
telle une figue trop mûre, abandonnée sur
un versant de notre montagne ? Te contempler d'abord de là-haut d'où, ô Mina, ils
me lanceront, malgré mes pieds ensan-
glantés, mes cheveux tirés en arrière qui
se soulèveront dans l'éther scintillant, mes
seins en coupes plates qu'ils s'apprêtent à
torturer...

Ils ricanent pour l'instant, ils hurlent, ils
grimacent :

« Le supplice de l'hélicoptère, ou tu parles,
ou tu donnes les noms des réseaux, des armes,
des bandits, ou tu désignes les chefs des tribus
complices, ou tu livres les noms de tes alliés
dans la ville, ainsi que des bourgeoises
comploteuses sous leurs voiles d'hirondelles
blanches... ou... »

Le supplice de... Qu'importe leur jargon ?
Espérer te voir mieux, m'imaginer te caresser,
malgré mon corps exposé, grillé désormais
dans la dure lumière de midi.

Le camion bâché gronde. Trois ou quatre sous-officiers me font la haie tandis que je vais bientôt grimper, trop lourde pour eux, trop fière, trop...

Alors le demi-cercle des paysans témoins s'est mis à approcher, d'un mouvement tenace. Comme les pieds rampants d'une tortue géante aux yeux multiples... Le cercle se déchire ; je les distingue, sur la première ligne : quelques vieillards, deux ou trois le visage noirci en plein soleil, à côté, des grappes d'enfants aux cheveux blonds et sales, mais pas de fillettes, pas de femmes ; une ombre seule entièrement emmitouflée, et qui soudain, dans un élan, lève le poing de colère. Un bras, un bras nu, noueux, avec deux ou trois bracelets en étain, ou en argent terni qui accrochent les rayons du matin... Ce poing rougi au henné, dressé en menace vers les sous-officiers français !

Les visages ridés des paysans, si près... A cause du poing anonyme de la silhouette emmitouflée, j'éprouve une bouffée violente de joie – j'entends pourtant le bourdonnement des hélicoptères qui vont prendre de la hauteur, les ordres lancés par les soldats qui accourent pour faire reculer cette foule.

A cause de la femme voilée, et de cette lumière qui n'aveugle plus, qui nous auréole – comme si, pour toi, spectatrice de toujours aux yeux ouverts, au visage tendu par

l'attente, nous nous mettions tous, y compris
les gardes et leur matériel bruyant, à jouer
quelque répétition de spectacle antique pour
la cité assoupie.

Toi, ô ma Mina, absente et présente, je
t'imagine dans notre courette ! Un jour, tu
bondiras jusqu'ici, jusque sur ces lieux d'où
ils vont m'emporter. Tu te précipiteras jusqu'à
l'endroit de mon élévation...

En un éclair, je me suis détachée – un des
gardes a posé son arme lourde contre mon
épaule. Je m'adresse au poing encore levé de
l'inconnue, de toutes les inconnues, je scrute
les visages des vieux figés, tous, je les
découvre, baignés de larmes muettes.

– Pourquoi pleurez-vous, je crie, je déclame
avec fureur, car j'imagine que pour une fois,
pour une seule fois, toi au cœur de la ville
immobilisée, tu m'entendras, toute la cité
enchaînée m'entendra !

– Pourquoi pleurez-vous, scandé-je – mon
corps soudain léger se retourne, fait face à la
garde, aux camions, à la soldatesque au fond,
aux hélicoptères qui se posent.

– Regardez tout ceci (mon geste est à nouveau pour toi, spectatrice de cette scène
immobilisée, pour dans vingt jours, ou dans
vingt ans, quelle importance, mon geste
dénonce ce harnachement de leur armée),

regardez, ô mes frères, tout ceci, seulement pour une femme !

Le fusil du garde le plus proche s'abat sur mon dos. Je réussis, dans un sursaut, à ne pas fléchir. Ils doivent se mettre à trois ensuite pour me porter de force et m'enfoncer sous la bâche du camion.

En un éclair, de la lumière je suis exclue. La suite, le noir sans fond, les crocs de la souf-france physique, comme une forge à devoir traverser : pourquoi en parler ici...

Ne retiens, ma chérie, ne garde que cette voix – ma voix du matin, hors de la forêt, qui, un jour, t'atteindra – et n'oublie pas ce soleil, tandis qu'ils m'emportent.

Plus tard, retrouve les visages de quel-ques-uns de ces paysans qui, pour la première fois de leur vie, se sont laissés aller à pleurer ! Reconnais laquelle des femmes a levé ainsi le poing, oui, cherche-la sous n'importe quel voile de laine usée, blanche ou salie, et même avec des yeux noircis baissés. L'autre main aussi, celle qui masquait le nez et la bouche impétueuse, l'autre main avec les mêmes bracelets d'étain ou d'argent terni, palpe-la, caresse-la, même vingt ans après !

Ma harangue, mon ivresse de défi ressusci-teront dans notre lumière inépuisable lorsque, juste avant midi, celle-ci étincelle et semble ensuite se dissoudre au-dessus de Césarée.

Je le sais, tu seras à jamais spectatrice. Je le sais, tu te précipiteras un jour, tu t'écorcheras peut-être les genoux, mais tu m'approcheras, et de si près – aujourd'hui, ô Mina, ma princesse !

4

« Mon amie, ma sœur, me dit-elle,
les petits m'alourdissent ! »

Les fiançailles de son frère s'étant enfin
déroulées, Mina, le lendemain, vient chercher
l'étrangère à son hôtel. Elle a acheté récemment une petite voiture et propose de la
conduire chez Zohra Oudai, sa tante, qui
habite sur les collines qui sont à l'avant-flanc
des monts du Dahra.

Mina, au volant, tandis que la voiture
avance sur des sentiers escarpés, évoque la
tribu paternelle :

– Hadj Oudai, ou simplement El Hadj, ainsi
était-il connu dans la ville : parmi le réseau
nationaliste des deux premières années de la
guerre. Mon père, donc – le troisième mari
de... de ma mère –, était un musulman très
pratiquant...

La passagère, aux côtés de Mina, se rappelle :

– Je sais que le 8 mai 45, quand tout l'est
du pays s'embrasait puis était livré à la terrible répression, ici, à Césarée, un complot

avait été démantelé : des explosifs étaient
prêts pour faire sauter les portes d'un arsenal,
près de la caserne, et pour s'emparer de beaucoup d'armes. Les conjurés furent trahis
avant même de commencer : quatre ou cinq
jeunes militants, plus un sous-officier kabyle
furent arrêtés. Je me souviens surtout que l'un
d'entre eux, le neveu de ma grand-mère
maternelle, fut condamné à mort, puis à la
prison à vie. J'ai gardé, toute petite, un vif
souvenir d'une étrange scène de deuil, chez
nous, autour de sa mère qui recevait les
condoléances, alors qu'il n'y avait aucun
cadavre exposé...

– 1945, dis-tu ? A la fin de cette année-là, je
crois, Zoulikha rencontra mon père : ils se
marièrent l'année suivante. Elle qui, venant
de Hadjout, s'installait à Césarée, à cause des
mœurs plus conservatrices d'ici, elle accepta
de vivre comme les autres citadines : voilée et
confinée à la vie domestique.

– Ton père, m'a rapporté ta sœur Hania
l'autre jour, ton père était maquignon, n'est-ce
pas ? Est-ce dans sa tribu que nous allons ?

– Ma sœur (qui est enfant du premier mari
de ma mère) m'a expliqué que El Hadj – en
faisant en 52 ou 53 un pèlerinage à La
Mecque – visita aussi l'Egypte et la Syrie dont
il revint politiquement transformé. Jusque-là
il avait contribué, avec quelques notables, à
fonder une *medersa* privée pour l'enseignement de l'arabe – pour les filles comme pour

les garçons. (Elle s'absente, puis reprend :)
Cette école fut installée dans une grande
maison ; c'était le bien d'un Arabe riche, venu
d'ailleurs mais relégué à Césarée à cause de
ses opinions nationalistes. On l'appelait le
menfi. En retrouvant, quelques années plus
tard, sa liberté de déplacement, il offrit cette
maison en bien habous[1] aux citadins de la
ville, à condition d'y ouvrir cette *medersa*.
L'enseignement de l'arabe tentait enfin de se
moderniser.

– Je me souviens, murmure l'étrangère pas
tellement étrangère. L'une de mes cousines
qui la fréquentait chantait, en arabe savant,
cette... comptine pour enfants de dix ans :

Nous avons une seule langue, l'arabe
Nous avons une seule foi, l'islam
Nous avons une seule terre, l'Algérie !

Elle fredonne, sur un ton incertain, la
chanson, ajoutant :
– Le rythme était vraiment entraînant ! Je
m'étonnais ! se rappelle-t-elle.
– Moi aussi, l'interrompt Mina, je connaissais cet hymne, quelques années après vous.
Je le trouvais... un peu sommaire. Au fond, la
règle des « trois fois un ». L'islam étant le troisième des monothéismes, veut-on absolument tripler la sacro-sainte unicité ?

_____
1. *Bien habous* : bien de mainmorte prévu par le droit
musulman.

– Chantons à notre tour, propose sa compagne :

Nous avons trois langues, et le berbère d'abord !

et, puisque religion il y a :

> *Nous avons trois amours :*
> *Abraham, Jésus... et Mohammed !*

Mina réplique, dans l'émulation du jeu, tandis qu'elles approchent des collines avec leurs vergers en fleurs :
– Nous pourrions aussi évoquer nos ancêtres illustres :

Jugurtha, trahi, est mort à Rome, loin de sa terre ;
La Kahina, notre reine des Aurès, vaincue, s'est
[tuée auprès d'un puits ;
Abdelkader, expatrié, s'est éteint à Damas, auprès
[d'Ibn 'Arabi !

« Le jeu des trois, sur une même terre : trois langues, trois religions, trois héros de résistance, n'est-ce pas mieux ? » Toutefois, cette conclusion, la visiteuse ne l'a pas formulée à voix haute, mais pour elle seule.

C'est l'arrivée au hameau. Mina arrête la voiture devant une fermette bordée d'une haie de jujubiers : la complicité des deux amies semble allègre.

La tante de Mina, Zohra Oudai, au visage creusé, les yeux souriants, les accueille sur le seuil. Les arrivantes la saluent à la manière traditionnelle : en frôlant les doigts de la dame de leurs lèvres, puis en s'inclinant pour lui baiser l'épaule. Son parfum est de jasmin et son sourire, à demi esquissé, d'attente sereine.

Dame Oudai leur a préparé du pain à l'orge cuit dans son four de campagne. Elle leur sert également des galettes du matin, légèrement amollies de miel.

Autour de la table basse de bois peint, l'hôtesse verse le thé fumant sur des grains de pignon, dans de hauts verres colorés ; après un long regard sur la visiteuse, elle l'apostrophe d'une voix rêche :

– C'est toi, nous a-t-on dit, qui interroges sur Zoulikha Oudai. – Elle se reprend, et avec plus de douceur : Sur « notre » Zoulikha ?

– Je suis revenue au pays après des années d'exil. En venant à Césarée, si j'avais pu résider dans la vieille maison de mon père, je serais certainement venue plus tôt vous voir.

– Chaque délai, chaque retard, affirme Zohra Oudai en s'appuyant sur un proverbe arabe courant, recèle en lui, sois-en certaine, un bien caché...

Cette fois, elle sourit plus franchement,

choisissant, de ses doigts pour l'invitée la galette la plus moelleuse.

– Même si tu nous viens quelques années plus tard, nous, conclut-elle, nos paroles restent les mêmes. Nos souvenirs, comme cette pierre (et sa main frappe, à ses côtés, sur le dallage fruste), sont ineffaçables !

Elle arrête net l'élan de ses mots, a un regard au loin, soudain absent, puis elle ajoute, avec une tristesse imperceptible :

– Seule l'amertume dans nos cœurs... qui demeure !

Dans la maison des vergers, l'après-midi de ce printemps finissant s'écoule dans les évocations. Puis les deux jeunes femmes remontent dans la voiture, la visiteuse, les bras chargés d'un bouquet impressionnant de mimosas. Sur le retour, de temps en temps, le nez dans les fleurs au parfum tenace, elle réécoute les paroles, par bribes éparses, de Zohra Oudai.

– Si cette table basse pouvait parler... Elle est le seul souvenir qu'il me reste de ma demeure incendiée. (Après un silence :) Quand Zoulikha venait au douar, elle apportait les médicaments, elle apportait la poudre, elle apportait l'argent !... Déguisée en vieille – elle, alors encore si belle –, elle enlevait son dentier, elle tirait ses cheveux et les dissimulait sous une coiffe de paysanne, comme on les aime ici, d'une serge d'un noir luisant et orange ; elle ajoutait un vieux pan de drap usé sur sa tête et ses épaules, comme si elle était pauvre. (Elle qui aurait pu vivre dans la ville richement, mais tout leur argent, à elle et à El Hadj, était versé, en grande partie, d'abord à la *medersa*, puis à « l'organisation », puisque le temps de la lutte ouverte avait sonné !)

Zohra Oudai a hoché la tête, replongée dans ce passé pour le revivre – l'amertume ayant disparu de sa voix, elle est devenue conteuse presque joyeuse, en tout cas impétueuse, comme si le « temps de la lutte ouverte » subsistait ; une incandescence invisible.

– Ainsi, « notre » Zoulikha, si elle était née homme, aurait été général chez nous, comme chez bien d'autres peuples, car elle n'a jamais craint quiconque et elle aimait l'action, plus encore que mon frère, El Hadj – que Dieu l'assiste au Paradis des héros ! – lui qui était si doux, brave mais trop doux !

Elle a soupiré derechef.

– Elle allait et venait, notre dame, des mois durant : extérieurement, elle semblait une errante, presque une mendiante, comme tu les vois au marché, ces vendeuses d'œufs et de poules, et d'herbes médicinales ! Zoulikha portait son couffin comme ces anonymes de notre pauvre peuple : sans foyer ni protection, telles celles qui vont sur les routes, intrépidement !... Que craindre, pour une vieille femme, dis-moi ? Même pas les voleurs ! Oui (elle s'est perdue dans un silence, puis, en se secouant, elle a repris son récit) : Zoulikha descendait et remontait, de votre ville à nos collines, et jusqu'à la montagne, car elle savait où s'orienter pour chaque refuge... Surtout pour la poudre qu'elle a transportée, ainsi, couffin après couffin, comme une bête de somme !

Et elle a conclu, peu avant de leur dire au revoir :

– Dites-moi, mes petites, où trouver de nos jours une telle femme ?

Tandis que la voiture revient vers le cœur de la vieille ville – la visiteuse veut saluer Hania, car elle n'a pas eu le courage de se mêler, la veille, à la fête –, il semble que la voix de Zohra Oudai les enveloppe, les pousse sur le chemin, en trace mouvante et infatigable, en un flux imperceptible, murmurant contre leurs oreilles, elles qui, de concert, gardent le silence.

Voix de Zohra Oudai

A cette époque-là, Zoulikha restait souvent avec moi au refuge.

(Ce mot « refuge » est prononcé à la française, mot étrange au milieu de ce parler en arabe populaire, gauchi par un accent particulier aux gens de ces montagnes plutôt berbérophones. De temps en temps, la main de Zohra, posée sur son front, son coude reposant sur son genou soulevé, chassait, d'un geste rapide et régulier, mouches ou moucherons presque invisibles.)

Quand le commissaire politique (encore deux mots français !) survenait, il notait par écrit tout ce que Zoulikha apportait. Ils écrivaient (ce n'était pas toujours le même qui venait) ici même, sur ma *meida* : cette table, si elle avait une âme, comme elle aurait parlé !... (Sur ce, fuse son rire presque d'enfant.)

Ils écrivaient ! Elle, avec eux. Car elle montait de la ville tout ce qu'elle pouvait. Elle marchait, elle marchait, la malheureuse ! Vers la fin, elle finit par s'épuiser...

(La voiture roule lentement, comme si la voix de Zohra les pourchassait, cavale ou girafe, ou simplement chien sloughi de race.)

Une fois, alors que Zoulikha avait trouvé abri chez moi, voici qu'enfla inopinément le danger. Nos demeures se remplissent en un éclair des fils de la France... Aucune possibilité d'échapper ; je dis en hâte à Zoulikha :

– Reste là, ne bouge pas de la petite table ! Occupe-toi, tête baissée, à trier l'orge.

(Elle s'est arrêtée, Zohra Oudai, le regard perdu.)

Je pleurais, autrefois, en évoquant cette scène, à présent toutes mes larmes sont taries !... (Avec effort, la conteuse reprend :) Je lui ai donc donné de l'orge mélangé au son, ainsi, divisé en tout petits tas sur cette table basse.

– Reste accroupie, assise par terre, chuchotai-je. Tu paries, ils ne remarqueront rien !

Moi, j'avais mon chapelet dans la main et je me postai debout, près de l'entrée, aux aguets. Les frères, eux, enfin les moudjahidin s'étaient sauvés de justesse, peu auparavant. Dressée à la porte, et surveillant au-dehors, je vis que les soldats faisaient sortir toutes les femmes de leurs cabanes : quasiment toutes, et ils les dirigeaient loin du douar, du côté de la forêt ! Je reconnus même une de mes cousines parmi elles.

Toutes piétinaient en une seule file, que les soldats, descendus de leurs camions, poussaient Dieu sait vers quoi, que le Prophète protège les croyantes ! Je revins dans ma cour, je soufflai à Zoulikha :

– Va avec ma petite-fille ! – elle avait cinq ans ; la fillette, de fait, était la fille de mon fils. Allez toutes deux jusqu'au verger derrière. Occupez-vous à surveiller l'eau des ruisseaux et des séguias, pour faire boire la terre des jardins ! C'est exactement l'heure, maintenant. Restez absorbées dans cette tâche, ne regardez rien d'autre ! Ils ne vous feront pas sortir, je l'espère.

Je voulais leur faire sentir que j'étais sûre, mais, à cette époque, ô mes cailles, de quoi pouvait-on être sûr ? De rien, naturellement !

Zoulikha, calmement, à son habitude, son

drap de paysanne posé sur sa tête, prit ma petite-fille par la main et elles allèrent travailler derrière, accroupies sous les arbres fruitiers.

Les soldats affluèrent d'un coup chez moi. Je me souviens bien, ils considérèrent avec soin ma tante, mes cousines. Celles-ci d'ailleurs qui, jusque-là, me critiquaient, elles s'attendaient, toutes, que je fasse quelque chose pour elles, que chacune, je la sorte de cette tourmente... L'orage une fois passé, et chacune de nous, comme toujours, notre peur une fois déposée, nous nous esclaffions, nous plaisantions, ne serait-ce que pour soulager notre cœur. Je leur disais :

– Me croyez-vous, par hasard, un colonel de la France, ô mes filles ?

Et toutes alors d'éclater de rire.

En tout cas, ce jour précisément, tandis que j'étais préoccupée par le sort de Zoulikha – la pauvre, seule avec la fillette, leurs pieds barbotant dans l'eau ruisselante du verger –, voici qu'entre dans ma cour un officier français. Je me souviens de son allure : grand, une beauté du diable qui faisait peur, la peau blanche et rouge comme ils sont presque tous, et en plus, une barbe, une barbe jusque-là ! (Avec une malice de gamine, elle met sa main à la hauteur de ses seins.)

Cet officier m'apostropha (et elle mima son français comme sur une scène de théâtre) :

– Allez, viens, viens, la femme !

– Comme ça, il a dit ; et moi je lui réponds :

– Non !... Non ! c'est défendo !... Oui (elle rit), défendo !

Je sais tout cela, eh oui !... C'est que la peur, mes petites, vous fait tout apprendre, le français, et même la langue du démon, si besoin est. (Elle reprend le ton sérieux pour terminer :) Défendo, donc je m'exclame et lui, de me répondre (la voix s'enfle, comme si elle sortait de la longue barbe que la main de Zohra redessine) :

– Les femmes... sauvages !

Oui, il a dit ça... « sauvages ». Pauvres de nous, nous étions ce mot pour tous ces hommes du camion : pauvres de nous et des saintes veuves du Prophète !

L'une de mes voisines, qu'on emmenait, cria en berbère, devant moi, qu'elle ne voulait pas y aller. Oh, elle ne pleurait pas, elle se mettait en colère. Et moi, de la conseiller :

– Change de langage, ma fille, et obéis !... Voudrais-tu, ce soir, te retrouver à l'abattoir ?

Elle me jeta un coup d'œil, vit mon visage sérieux et grave : elle obéit. Elle sortit sans ajouter mot.

Moi, conclut Zohra Oudai, c'est ainsi que je sauvai Zoulikha, car ils ne poussèrent même pas leur inspection jusqu'au verger, ce jour-là.

La voiture de Mina stoppe devant la maison de Hania.

– Tu arrives chez toi, c'est ici aussi ! dit doucement Mina à sa compagne, montrant d'un geste la maison voisine et son portail au vieux bois usé, une main de Fatma en cuivre comme heurtoir.

– De fait, remarque son interlocutrice, je ne sais même pas si l'une de mes cousines y habite encore !

– Non, elle est inhabitée depuis au moins deux ans ! répond Mina, en faisant entrer son amie chez Hania, sa sœur.

« Nulle part dans la maison de mon père ! » étrange complainte que l'étrangère, durcie, se chante pour elle-même.

Elles montent toutes deux au premier étage.

– Voici ma chambre, explique Mina. J'y range mes livres, et toutes mes affaires d'été, puisque c'est ici que je passe les vacances.

En face, la porte est ouverte sur une chambre profonde et fraîche.

– Hania, souffle Mina, est fatiguée des préparatifs de cette dernière semaine, puis, hier, de la fête elle-même ! Elle se repose.

– Ne la dérangeons pas ! proteste l'invitée.

Elles redescendent pour retrouver leur place sous le citronnier.

Hania, dans la pénombre, a entendu les voix chuchotantes des deux jeunes femmes. « Je vais me lever pour elles !... Mon devoir d'hôtesse ! »

Lasse, elle se rendort quelques minutes. Puis elle verse dans un demi-délire :

Hier, les fiançailles du petit !... Hier, le salon, le patio, la maison envahis par trente, quarante citadines – chacune venant, selon l'usage, avec deux ou trois enfants encore petits, quelque préadolescente à faire admirer, dans la promesse de sa beauté, par une commère, ou marieuse, ou future belle-mère. Les parentes sont venues m'aider. Servir les boissons fraîches, les gâteaux que j'avais préparés, des jours et des jours auparavant. En attendant que le jeune couple apparaisse (la fiancée d'abord, entourée de ses suivantes ; lui, mon tout petit, mon frère, peu après, raidi de timidité, venant s'asseoir à ses côtés ; paupières baissées tous deux ; sans se regarder ni l'un ni l'autre !). Ils se laisseront photographier côte à côte pour les albums de famille, pour la vidéo de quelque cousine étudiante, qui les envie déjà, qui espère son tour, bientôt – et les regards levés des matrones quadragénaires s'extasient devant tant de modernisme : le bonheur d'être ainsi contemplée, aux côtés de son promis, devant toutes les dames ! En attendant ce sommet de la fête, le bourdonnement des voix des bourgeoises invitées.

Cela, c'était hier, hier. Enfin, tout est fini, le

brouhaha, la foule, les voyeuses ! Je dois descendre pour Mina, pour l'autre, dans le silence et le calme réinstallés. Vraiment finie, la fête, l'unique fête depuis... depuis la mort de ma mère. Se lever ! Me lever !... La Voix réaffleure en moi, marmonnement incompréhensible, d'une langue d'avant, un berbère inconnu d'avant le berbère, un libyque évaporé d'il y a deux mille ans, gargouillis dans les creux de mon corps. Relève-toi, redresse-toi ! C'est facile, tout doit être facile pour toi, fille de Zoulikha. Descendre pour m'asseoir sous le citronnier ?

Elles conversent là-bas : ma sœur a grandi maintenant, elle a appris le silence, mais avec l'autre elle parle, ou elle écoute. M'asseoir auprès d'elles, ma parente et l'autre, la voisine. Ô Zoulikha, ô mon amie, d'autres disent « ta mère », je descends pour elles deux, pour toi surtout...

Elles, les invitées de la ville, hier encore, m'ont cernée de leurs conciliabules : peu importent les mots, leurs formules convenues de salutations, de bénédictions, d'invocations.

Seulement bourdonner, chuchoter, se diluer les unes avec les autres dans cette moiteur : éclats de voix, sursauts et timbres d'appels, râles étouffés, écorchures restées épines dans la gorge nouée, une fois, tant de fois, tant de larmes rentrées, tant de soupirs non exhalés.

Seulement s'ausculter, à plusieurs, semblablement immobilisées dans un destin sans interstices !

Seulement s'écouter dire le temps, la santé des autres, des parents, des parents par alliance, qui vous barrent la lumière, qui vous privent du repos, du répit, du silence !

Seulement faire défiler, en perles de chapelet, mariages, naissances, circoncisions, pèlerinages à La Mecque, funérailles, simplement les ponctuer, tisser leur déroulement sur une trame invisible, sans zébrures, sans couleurs ni chatoiements, sans fil de soie, ô Envoyé de Dieu !...

Vers toi, ma mère perdue, ma Zoulikha vivante, je descends ces escaliers ! Oui, pour toi, là où vibre cette lumière crue qui dénude, qui brûle, pas celle qui asphyxie.

Ce soir, Hania garde à dîner l'amie de sa sœur. Le mari de l'hôtesse est présent ; il les quittera assez vite. « Une réunion, en ville, entre hommes ! » dit-il, avec un sourire d'excuse. Hania paraît une autre, se dit l'invitée. Dans l'interview, le premier jour, elle gardait une distance.

– Je croyais, avoue-t-elle, que la télévision avait besoin d'un documentaire, comme il y en avait eu tant sur les héros morts !... Zoulikha, vivante aujourd'hui, elle les aurait dérangés tous !... Ils me paraissent parfois – chacun pour des raisons diverses – comme soulagés, c'est le mot, oui, soulagés qu'elle, ma Zoulikha, ait disparu !

Mina, dès qu'il s'agit de Zoulikha, s'en va, sous n'importe quel prétexte, pour juguler son excès d'émotion. Or, cette fois, Mina ne bouge pas, anesthésiée en quelque sorte. Hania propose :

– Nous devrions aller toutes trois, un de ces jours, chez Lla Lbia. Elle fut le seul soutien de ma mère, quand celle-ci fut interrogée, des mois et des mois, par le commissaire Costa, quand ensuite elle voulut rejoindre les partisans et que le vide s'élargissait autour de nous. Oui, Lla Lbia fut son alliée, quand Zoulikha monta d'abord dans la tribu Oudaï, dans leurs vergers. De là, déguisée en vieille femme, elle descendait en ville, précédée toujours par un guide, ne serait-ce que pour franchir l'une des deux portes de l'enceinte – l'enceinte a disparu, mais pas les deux portes. Le contrôle, de jour, était alors minutieux.

Mina intervient en français :

– Dame Lionne (elle sourit, car elle aime traduire de l'arabe le prénom altier de la cartomancienne), Dame Lionne, ou Lla Lbia si vous voulez, fut la cheville ouvrière du réseau de citadines qui fournissait Zoulikha en médicaments, en argent, en vêtements d'homme.

Une jeune servante entre dans le salon, s'approche des lampes.

– Dora, dit l'hôtesse, allume, mais faiblement, le vieux quinquet de la lucarne, au fond.

Hania s'excuse :

– Mon cœur est plein soudain de mélancolie !... Malgré la joie si vive de mon frère
(il était si beau, il rayonnait aux côtés de sa
promise !), malgré cela, ou à cause du brouhaha... si conventionnel des citadines (snobs,
elles se disent presque toutes d'origine andalouse, alors que, pour la plupart, leur mère,
ou leur grand-mère, est descendue, il n'y a pas
si longtemps, de la montagne), j'ai sombré
aujourd'hui dans l'aride nostalgie.

– Nous aurions dû, s'excuse Mina, revenir
te chercher avant de monter chez tante Zohra.

– Non. Il y a des fois où Zoulikha me manque
plus vivacement : j'aimerais comprendre pourquoi, si souvent, je suis dans cet état, près de
quinze ans plus tard ! (Elle baisse la voix,
ajoute :) J'en suis habitée !

A la lueur vacillante d'une bougie, un
silence incertain s'étale. L'invitée lève les yeux
sur le visage de Hania. Une larme coule sur
ses larges joues ; le regard perdu au loin, elle
ne se rend pas compte qu'elle pleure. Pas un
geste, même pas des doigts pour essuyer l'eau
du souvenir sur sa face. Quelques minutes
plus tard, son visage redevient sec – ou peut-
être est-ce la pénombre qui a bu cette trace.

Hania parle d'une voix ferme :

– Voyez-vous (elle n'ose appeler l'étrangère
par son prénom, mais elle passe à l'arabe et à

son tutoiement plus facile), ô amie, et toi (elle se tourne avec abandon vers Mina), ma toute petite, je n'ai même pas une tombe où aller m'incliner le vendredi... Une tombe de ma mère, comme tant de femmes de mon âge. Nous voici plus défavorisées que de simples orphelines. Je prendrais des cierges, j'emporterais des dons, en nature ou en argent, à l'Achoura je ferais, comme chaque musulmane, des distributions aux nécessiteux. Surtout, seule avec Zoulikha, j'abaisserais mon visage sur sa poussière, sur le sol humide où son corps serait couché... Alors (sa voix défaille), je lui parlerais. A elle je me confierais. (Elle crie :) Je te raconterais, ô ma Zoulikha !

Mina, assise sur un tapis, se met à reculer, toujours accroupie, sur ses talons. Elle glisse, elle disparaît dans l'ombre, peut-être même loin, dans une chambre.

– Moi, dit l'étrangère, seule avec l'hôtesse bouleversée, si mon père devait mourir avant moi, je ne pourrais pas supporter cela : son visage... ses yeux, enterrés ! Non, ce serait trop difficile.

– Le cimetière de notre cité est si beau, répond Hania. Au sommet, au-dessus des vivants, surplombant la ville et ses terrasses, son port, son phare ; chacun de nos morts – je parle, rectifie-t-elle, de nos morts musulmans, je ne connais que notre cimetière –, chacun, reposant là, pourrait se relever, s'il voulait, pour contempler notre panorama.

– Il n'y a, remarque Mina, dressée cette fois
à la porte, il n'y a que la baie de Bougie, avec
le pic de Lalla Gouraya, qui est encore plus
ample que le site de Césarée...

Au cours de la soirée, la même servante
apporte quelques plats de salades diverses
avec de la menthe coupée, du fromage de
chèvre dans des coupes bleues, de nouveau du
thé vert qui embaume. Puis elle s'éclipse.

Hania semble enfin en accord avec son
nom : apaisée, redevient-elle, avec un vernis
de courtoisie toute citadine.

Dans une précipitation visible, elle s'ins-
taure chroniqueuse. Ni avec le calme factice
de la première interview, ni dans la vulnéra-
bilité de ses précédents aveux, apaisée vraiment et désireuse de faire un effort de fidélité,
se dit celle qui écoute, qui ne désire rien, qui
attend.

Ainsi, songe plus tard Mina, restée dressée
à la porte, cette femme, ma nouvelle amie,
que je devrais appeler notre voisine, même si
elle ne fait pas mine de s'installer près de
nous, de redonner un peu de lustre à l'humble
maison paternelle, ainsi, elle sait attendre :
nos souvenirs, à propos de Zoulikha, ne peuvent que tanguer, que nous rendre soudain
presque schizophrènes, comme si nous
n'étions pas si sûres qu'elle, la Dame sans
sépulture, veuille s'exprimer à travers nous !...

Et je comprends cela, depuis que cette voyageuse est revenue à Césarée. Elle ne demande rien. Elle écoute. Dans cette capitale déchue, elle a compris que l'espace entier, avec ses statues gréco-romaines, celles qui, dérobées, sont au Louvre et les autres au musée local où personne, sauf de rares touristes, n'entre, tout cet espace au-dessus de nous, en chacune de nous (je parle des femmes, parce que les hommes, yeux et mémoire crevés, ils sont !), cet air, translucide, léger, est plein ! Plein à exploser ! D'un passé qui ne s'est ni asséché ni tari. Hélas, ce plein est invisible à la plupart des regards. C'est pourquoi il écrase la ville, c'est pourquoi celle-ci s'assoupit, encore plus que les autres villes ailleurs. Treize ans après, la voisine est revenue ! Oublieuse apparemment des liens familiaux, et même de la demeure paternelle, son seul héritage : elle revient en déshéritée (bien qu'elle ait évoqué tout à l'heure son père qu'elle n'imagine pas, un jour, enterré !).

Elle, installée parmi nous, chacune des femmes, si longtemps muette, ou distraite, ou bavarde mais avec des petits riens, des propos menus, chacune éprouve le besoin de s'alléger. S'alléger ? Parler de Zoulikha, faire qu'elle se meuve, ombre écorchée puis dépliée... Ô langes du souvenir !

Très loin des pensées en ébullition de sa sœur cadette, Hania poursuit l'évocation :

– Quand son mari, El Hadj, était au maquis, il arrivait à Zoulikha de monter aux vergers des Oudai pour le voir. J'étais à l'époque mariée – depuis 1949, à seize ans – et mon mari venait d'être nommé dans une administration des postes, à l'intérieur. Il fallait une demi-journée pour rejoindre par car Césarée. (Elle s'arrête, Hania : Mina et son amie s'immobilisent.) Quand El Hadj revint de son pèlerinage, à cause surtout de ce qu'il avait vu en Egypte, juste avant 54, il répétait : « Les Français, nous avons à les mettre dehors ! » Il parlait de la lutte de tant de peuples, « et nous alors, poursuivait-il (je l'entends encore), serions-nous les derniers à retrouver nos droits ? ».

Dès 55, quand il monta au maquis, dans la région où je me trouvais, on avait envoyé sa photo dans toutes les brigades de gendarmerie, avec tant de renseignements sur lui !... Mon mari, une fois, vit dans des bureaux deux photographies : celle de Mustapha Saadoun et celle d'El Hadj ; quelqu'un les lui montra en lui affirmant qu'elles étaient classées comme personnes très suspectes. Je n'en soufflai mot à ma mère. J'allais cependant la voir le plus que je pouvais. Je savais qu'elle allait et venait pour rester en contact avec son mari. Un jour, elle soupira devant moi : « Mon amie, ma sœur, mes petits, si tu pouvais me les garder un peu, ils m'alourdissent !... J'aurais une liberté complète pour travailler ! » Je les emmenai donc avec moi un certain temps, de façon à ce qu'elle soit plus libre dans ses contacts. Elle pouvait enfin se déplacer. Pendant quelques mois, elle fut plus tranquille !

Hania se lève, rapporte elle-même de la cuisine une cruche d'eau fraîche. Elle boit, se rassoit.

– Je me souviens, murmure-t-elle, quinze jours plus tard environ, mon mari commençait à être malade : il était au lit, avec une forte fièvre ! Nous attendions le docteur...

La chroniqueuse se saisit de la cruche à ses côtés : dans la pénombre, les deux auditrices tournent, d'une façon concomitante, la tête. Hania va-t-elle boire ? Non, d'une seule main, elle verse de l'eau dans l'autre paume et s'asperge la face dans un éclaboussement. Comme si les souvenirs devaient, perles froides sur sa joue, s'écouler vite, vite... Elle reprend le récit, la voix plus lasse :

– Alors un ami de Césarée a téléphoné : « El Hadj, dit-il tout bas à mon mari, ici (et après un silence, en chuchotant) : Que Dieu lui fasse rémission de ses péchés ! » Mon mari, chancelant, se leva, monta péniblement deux étages pour me dire : « Ton père... c'est fini ! » Puis il retomba gravement malade. Le médecin arriva et décida de l'hospitaliser au grand hôpital d'Alger. J'allai aussitôt rejoindre en hâte Zoulikha à Césarée et je lui ramenai mon petit frère et ma sœur.

5

Où Mina rêve d'amour
et où Dame Lionne reprend le récit...

Le lendemain, Mina et son amie sortent de la ville en voiture. La journée de juin est belle ; une hésitation les a saisies, avant le départ.

– Premier trajet, aller à nouveau chez tante Zohra Oudai, n'a-t-elle pas dit : « Vous venez, sans vous faire annoncer ! Vous êtes là chez vous, mes colombes ! » Elle nous a quittées si tendrement ! remarque Mina.

– Le deuxième programme, ce serait... le tombeau de la Chrétienne, n'est-ce pas ? Une escapade... touristique.

– Pourquoi pas les deux : la journée d'aujourd'hui est la plus longue de l'année, je te le rappelle !

Et Mina renverse la tête pour admirer le ciel. La légèreté de ce début de promenade les rend à nouveau complices.

Prenant la direction de Tipasa, elles décident de s'arrêter au petit port (« j'y achète toujours des crevettes fraîches », précise Mina), avant de s'engager sur la petite route qui grimpe jusqu'au mystérieux mausolée.

Peu à peu, elles ne parlent même plus du tombeau (était-ce vraiment, sinon pour une chrétienne, au moins pour la fille de Cléopâtre, la reine égyptienne de Césarée : cette version commence à être corrigée par les archéologues).

« Il y a presque deux mille ans, alors que Cléopâtre Séléné, la fille de l'illustre Egyptienne suicidée, tentait, elle, épouse du roi numide Juba II l'hellénisé, de se consoler, mais de quoi... Et si c'était vraiment son tombeau immuable ? » L'amie de Mina, rêvant ainsi loin en arrière, sursaute soudain : « Comment ai-je pu proposer cette visite à la fille de l'héroïne, Zoulikha sans tombeau connu, engloutie dans quelle fosse, elle, l'éparpillée dans l'air bleu, l'envolée... ? »

La visiteuse, les yeux sur la route sinueuse, garde silence. Mina, au volant, verse inopinément dans des confidences personnelles : une histoire récente, un « amour déçu », soupire-t-elle. « Je croyais avoir tourné la page. »

A Tipasa où elles arrivent, les pêcheurs ne sont pas rentrés. Les bacs vides attendront deux ou trois heures encore : vont-elles reprendre la route ?

Or l'étrangère, dans ces lieux, n'est pas du tout étrangère. Elle a travaillé le printemps précédent avec quelques techniciens. Des gens du village la saluent, reconnaissent sa casquette, posée en arrière, sur ses cheveux courts. Elle propose à Mina l'auberge où elle a logé plus d'un mois.

– Allons nous désaltérer là. Le cuisinier est un Marocain qui prépare une délicieuse tarte aux fruits frais.

Sous la terrasse ombragée, elles s'attardent ; le cuisinier, Maamar, est heureux d'évoquer avec nostalgie le temps (colonial) où ce restaurant était le meilleur de toute la région. Mina, dolente, semble à la fois la même (« l'orpheline de Zoulikha », son amie l'a ainsi baptisée), mais aussi une jeune femme qu'un secret tourmente.

Mina avoue un amour d'il y a longtemps, trois ans, finit-elle par préciser, et son auditrice a l'impression d'être entrée par inadvertance dans une chambre ouverte à tous vents, comme après le passage d'un orage – volets battant, porte aux vitres brisées, lieu déserté qui aurait été théâtre de querelles, de paroles violentes.

– Une histoire que je ne peux oublier, balbutie Mina. Je ne sais si la blessure est celle de l'amour toujours vivant – tournant à vide, à vif, mais vivant ! –, ou, après tout, que la déception, à chaque fois réveillée et me mordant tel un chien cruel... (Elle boit son thé glacé, comme s'il allait aviver sa fièvre.) Je t'ennuie, sans doute ? s'excuse-t-elle.

L'autre lui frôle le poignet ; une caresse.

– Mais non, continue !

Elles en sont au tutoiement ; à la confiance. Tu peux t'arrêter, ne plus raconter. Je suis là... pour toi ! Elle semble dire cela, l'écouteuse, par ce simple frôlement du poignet. Mina, encouragée, poursuit :

– Je ne peux raconter qu'aujourd'hui, et à retardement, la banalité de ce seul amour que j'ai vécu. Ou que je n'ai pas vécu, comment évoquer avec exactitude ? Les faits ? Rien : il y en a si peu.

Elle a un sanglot sec dans la voix. Elle se lève, nerveuse, comme traversée entièrement par une épée invisible.

– Ce sera mieux si je conduis : le chemin devant moi, et moi ouvrant la route, je pourrai décrire cette histoire... d'amour. Non, de régression !

Les voici toutes deux à reprendre le chemin vers Césarée. Et, dans ce retour, Mina, d'un trait, se confesse :

– Un étudiant, Rachid, qui, à la capitale, à ma dernière année d'université, me suivait partout, dans les amphithéâtres où il me gardait une place, dans les cafétérias et les buvettes encombrées, avant de rentrer en cours. Le dimanche matin, quand il venait m'attendre à la porte de la cité universitaire des filles, j'aimais son zèle mêlé de timidité.

Elle s'arrête de parler, s'absorbe à cause des dangers de la route soudain sinueuse, puis, à un tournant où l'on retrouve abruptement la mer, elle propose d'aller au sanctuaire de Sidi Brahim, aux portes de la ville.

– On sera entre femmes, des femmes du peuple, des paysannes ou quelques bourgeoises ; du moins, assises sur des rochers, nous aurons la paix !

Son amie acquiesce, devant le désarroi de la jeune femme. Elles ne sortent pas aussitôt de la voiture. Dans un parking, Mina, mains posées sur le volant, parle, regardant droit devant elle. « Une vraie confession », pense son amie... Quelle culpabilité s'annonce là, et pourquoi ?

Autour d'elles, quelques enfants des masures voisines les observent de loin, n'osent approcher.

– Rachid et moi, en ces derniers mois de la vie d'étudiants, nous parlions de tout, sauf d'amour ! Je lui évoquais l'histoire de ma mère, non pas elle vivante, plutôt mes années sans elle... (sa voix fléchit) parce que, tu sais, jamais je n'ai pu la pleurer, un nœud me reste là, et, pour la première fois, avec Rachid, je m'entendais enfin donner réalité à ce manque. Ainsi, m'est-il devenu proche car, devant ses yeux noirs, brillants (elle hésite), brûlants, je pouvais dire, me dire tout haut ! (Elle fait un geste d'impuissance.) Dans ce pays, sais-tu, tant de malheurs sont arrivés aux autres que je me trouve parfois presque chanceuse ! Orpheline certes, de père et de mère, pupille de la nation, disent-ils, j'en ai eu quelques avantages ; j'ai eu surtout la chance d'avoir ma grande sœur : grâce à elle, j'ai passé mon baccalauréat, tout en veillant à mon tour sur mon frère...

Rachid, lui, venait d'un village des Aurès. Il avait mon âge, une expérience d'adolescence plus paisible, mais il en parlait si peu. Il évoquait parfois sa mère et ses quatre sœurs : elles attendent au village de montagne qu'il devienne professeur et qu'il puisse leur envoyer ses économies... Il aimait parler surtout de littérature, je me souviens de Char, de Michaux et de plusieurs poètes américains que je ne connaissais pas. Cela me semblait étrange : venir de montagnes si rudes et même si tragiques, mais ne rêver que de beauté, comment dire, d'une beauté en mots étrangers, comme d'une lumière brillant ailleurs !

– La beauté de la poésie, ce n'est jamais ailleurs. Peu importe où vivent les poètes ! rétorque sa compagne, tandis qu'elles finissent par descendre de voiture, et se dirigent en direction du sanctuaire.

Où gît l'amour, dans tout cela, songe l'amie, et même l'attente du désir ? Elle désigne ces lieux où le hasard les a arrêtées :

– Allons-nous entrer là, demande-t-elle, chez le mort bien mort qu'ils appellent un saint, évidemment pour la *baraka* que reçoit la descendance ancrée, celle-ci, dans le vivant, ou bien – mais nous n'avons pas nos maillots – irons-nous plonger dans cette mer plate, d'un bleu si intense ? Que choisir : le plaisir de l'eau et du corps, ou la douleur à réveiller en tournant autour du catafalque, le cadavre d'un inconnu d'il y a dix ou quinze générations ?

Mina garde la tête baissée.

– Je pense à tante Zohra. Elle, elle a perdu son mari et trois de ses fils, et son frère. Elle dit qu'elle n'a plus de larmes, mais je l'ai vue si souvent rire, d'un rire, il est vrai, sans pitié !... Sais-tu, elle ne veut plus jamais redescendre dans la ville. Elle dit parfois, avec son grand rire : « Qu'irais-je faire en ville parmi les chacals ? »

Elles reviennent à la voiture.

– Parle-moi de Rachid et de toi, étudiante, qui te confiais à lui.

– Oui, reprenons... la romance ! ironise, avec légèreté, Mina.

La voiture redémarre devant les enfants inquisiteurs.

– Le temps, dit Mina, de retrouver Césarée : cela suffira pour terminer mon histoire, qui n'est même pas une vraie histoire !

Dans sa réticence à reprendre le fil, l'orpheline semble désireuse d'abréger, d'assécher, non de se perdre, de garder lucidité... et – se dit l'étrangère attentive, à ses côtés – de conserver fierté secrète, ou orgueil : orgueil en tant que « fille de l'héroïne » ? Peut-être n'est-ce qu'une histoire d'inhibition, de pruderie, de timidité affolée. Ces jeunes filles, sous l'excès de vocables (ma colombe, ma

caille, ma pigeonne, ma...) suscités par l'atten-
drissement féminin autour d'elles, ne savent
comment se hasarder – elles qui appartien-
nent à la première « génération moderniste »
du pays, comme disent les journaux –,
comment vivre des histoires d'amour.

Des histoires de sentiments, de rêves éna-
mourés, de désir insatisfait, de peur ou
d'effroi devant le danger, quel danger, celui
des mots – couverts –, celui des regards
– acérés, fouailleurs –, celui des frôlements
– longeant de si près la violence et, parfois, le
simple désir de rut.

Quel amour, quelle histoire d'amour pour
oies blanches et coqs agressifs, pour adolescents des deux sexes rêveurs, tremblants et
affolés d'émoi ?

Et les regards ! Qui dira les regards dévora-
teurs, voleurs, violeurs, de tant de jeunes
mâles, immobilisés dans la rue, sans mots,
sans rêve, sinon taraudés par la pulsion de
toucher l'hirondelle, de frapper, d'écraser la
libellule... La haine, par éclairs, explose on ne
sait d'où, ni pourquoi...

Sur le chemin qui monte et approche des
collines, Mina s'engloutit dans son récit : d'un
trait, elle raconte, avec, dans son débit,
comme des halètements :

– Rachid partit à la rentrée suivante pour
un poste d'enseignement dans le Sud. Toute

l'année, il s'est mis à m'envoyer des lettres d'amour, de vraies, de belles lettres d'amour ! Je répondais à ma façon : sans l'encourager, mais sans reprendre le mode affectif. Je dus lui avouer, tout de même, que sa compagnie, à Alger où je préparais ma maîtrise, me manquait, qu'il devait revenir aux prochaines vacances... Je crois qu'alors je m'apprêtais lentement à l'aimer ; peut-être parce qu'il était loin, absent. Avais-je tout bonnement besoin d'aimer, et cette distance sans doute m'arrangeait-elle ? (Elle hésite.) Après tout, j'avais vingt-trois ans et je restais vierge. (Elle rit, amère.) Je n'avais jusque-là pas accepté le moindre baiser !

Elle ralentit, tourne la tête. Ses yeux sombres étincellent.

– Etait-ce ma façon à moi de continuer l'héroïsme de ma mère ? Elle était si brave, si fière ; moi, tout en orgueil et en refus, je cherche à être pareille, mais pour de petits, de tout petits problèmes...

– Et cet amoureux ? interroge l'amie qui voudrait adoucir l'ironie de Mina.

– Je t'ai parlé de déception... La réalité m'est tombée dessus, sans que je m'y attende.

Mina relate comment Rachid, malgré ses déclarations, ne revint pas à Alger aux vacances d'hiver, ne rejoignit pas sa famille des Aurès. L'étudiante, enveloppée par le romantisme de la correspondance, verse dans des rêveries d'amour.

– Je l'attendais, je l'espérais, j'aurais, sans nul doute, accepté les premières étreintes ! Tout mon corps, cet hiver ensoleillé et froid, avoue-t-elle, sans que sa voix fléchisse, se préparait à une tendresse extériorisée, des caresses, de l'amour en somme... Je me souviens de mes déambulations dans la ville, comme d'une lente maladie en moi !

Mina se décide, aux vacances de printemps, à surprendre l'amoureux.

– Je rêvais déjà aux promenades dans le désert !

Elle prit un car bondé, poussiéreux, où elle voyagea, même de nuit, et parmi des ruraux, étonnés de la jeunesse de cette passagère. Elle débarqua à l'aube dans une oasis plate et blonde. Elle erra une heure entière, dans l'allégresse de cette escapade digne d'une collégienne. Découvrit le lycée où Rachid enseignait ; la rue où il logeait.

– Je l'y trouvai, occupant un vaste appartement presque sans meubles, en compagnie d'un coopérant français du même âge que lui. Il ne sembla pas si heureux de me voir. Il m'accompagna dans un hôtel un peu minable, alors que j'avais espéré loger avec lui, la demeure était grande, les convenances m'importaient peu...

La voiture pénètre dans la ville par la porte de l'est, les murailles qui ceinturaient la cité depuis plus d'un siècle de présence française ont été détruites à l'indépendance : deux arches en pierre rousse se dressent, arcs de triomphe inutiles.

– Que te dire de ces trois jours ? reprend Mina. Il ne se passa rien de ce que j'avais vaguement prévu... Ce ne fut pas un séjour d'amoureux et il n'y eut même pas de promenades dans les dunes. La veille du troisième jour, Rachid m'avoua tout : sans cela, je n'aurais rien compris. Son amitié avec le coopérant n'avait rien de platonique et il était en train de prendre une décision grave, disait-il : il quitterait le pays à la fin de l'année scolaire pour suivre ce Français à l'étranger. Il le savait bien : s'il acceptait d'épouser une « femme à séquestrer », c'est ainsi qu'il s'exprima, son homosexualité serait tolérée socialement, ici et jusque dans son village. Garde-chiourme comme les autres, certes, on fermerait les yeux sur ses penchants.

– Que lui as-tu dit ?

– Je ne me souviens d'aucune de mes paroles. Peut-être n'ai-je rien répondu. Je me souviens que je pleurais, que je n'arrêtais pas de pleurer, cette dernière nuit, à l'hôtel ainsi que le lendemain dans le même car poussiéreux. Depuis, rien ; je n'ai parlé de cette histoire à personne. Quelques mois après, Rachid m'écrivit deux fois et, à chaque fois, en quémandant une réponse, ainsi que ma compréhension, disait-il. J'ai déchiré ces lettres et, cette fois, je n'ai pas pleuré !

Le même jour, au moment précis où l'après-midi épuise sa réserve de canicule, où une première et imperceptible brise se fait sentir sous la treille qui recouvre un angle du patio, Dame Lionne attend Mina.

Elle lui a envoyé auparavant le garçonnet des voisins, avec un message : « Viens, je t'en prie, bavarder un moment avec moi ! Viens avec qui tu veux ! »

Mina est entrée une heure après, mais seule.

– J'aurais voulu te faire connaître cette fille de nos voisins d'autrefois ; je lui ai laissé un mot à son hôtel ; je crois qu'elle est allée au musée.

Dame Lionne a une mémoire tenace, quand il s'agit de l'histoire familiale de chaque maison de ce quartier des *douirates*.

– Je connais ses parents, autant de la lignée paternelle que maternelle. Surtout maternelle ! Qui d'entre nous, femmes de Césarée, n'a pas une image, de multiples images de Lla Fatma, sa grand-mère ?

Elle se tait, s'absente, prend le temps de servir le thé à la menthe.

– Il y a longtemps, reprend-elle, ta mère, Zoulikha, était encore chez elle, la mère de ton amie est venue me voir, voilée de soie blanche, accompagnée de sa belle-sœur. Elle s'inquiétait pour son fils unique, très jeune, mais qui travaillait dans la clandestinité en France.

– Tu lui as fait les cartes ? La ronda ? demande, surprise et curieuse, Mina.

– Bien sûr – c'était bien avant mon serment – mais je ne savais si j'allais voir quelque
signe. J'ai eu un long effort de concentration,
puis, peu à peu, j'ai vu... J'ai vraiment vu le
jeune garçon sur une route, avec des arbres
pas de chez nous, une longue route, et surtout, exposée à tous les vents. Sans réfléchir,
j'ai prononcé ces paroles : « Non, ne t'inquiète
pas pour lui !... Il est sur une route... pas très
loin de Verdun ! »

– De Verdun ? s'étonne Mina.

– Ma chérie, je ne sais pourquoi j'ai dit ce
dernier mot !... Tu sais, les anciens combat-
tants, ceux de l'autre guerre – celle d'il y a très,
très longtemps –, on les appelait, nous tous,
les enfants de la rue, « ceux de Verdun » ! Et
sur cette route, oui, en une seconde, j'ai vu le
jeune homme marcher en hâte ; je ne sais
comment, ces mots m'ont échappé : « Pas très
loin de Verdun ! » Alors, étonnée moi-même,
j'ai repris souffle, puis j'ai ajouté, mais cette
fois, par habitude professionnelle : « Tu rece-
vras bientôt de ses nouvelles ! »

Dame Lionne part d'un grand rire.

– Si tu avais vu les deux dames, la jeune
mère et sa belle-sœur, me remercier, déposer
un gros billet, et repartir soulagées.

Elle réfléchit un moment.

– Deux semaines plus tard, on m'a dit que
j'avais vu juste : ce jeune fils avait été arrêté
par la police française, puis emprisonné, justement, dans cette région de France !

6

Les oiseaux de la mosaïque

Pourquoi t'es-tu installée sans coup férir à l'hôtel ? Le seul hôtel de Césarée, avec son entrée en marbre des années 1930 et son salon, en bas, qui fait illusion... On t'a donné la plus belle chambre, au premier, avec un balconnet au-dessus de la place carrée ombragée et sa fontaine aux statues anciennes. Tu as précisé : Quatre ou cinq jours, je ne sais. Je vous dirai ensuite si je dois prolonger.

En redescendant pour aller au musée – vite, une première visite éclair, avant la ferme-ture –, tu t'es demandé s'il y avait d'autres résidents, passagers d'une nuit ou touristes étrangers... Tu as parlé au gérant en français mais, comme tu lui as laissé tes papiers d'identité, il aura tout loisir, lui ou son assis-tant, de voir que tu es issue de cette ville. Peut-être même, devant le nom de ta mère, s'étonnera-t-il que tu ne sois pas allée chez l'oncle (sa maison bourgeoise est une des plus vastes de Césarée).

Tu as repris tes papiers le lendemain, sans commentaire. Le regard de l'assistant paraît plus insistant sur toi, sans plus. Ils te voient jouer ainsi à la touriste et ils doivent se demander pourquoi.

La plupart des voyageurs passent au plus une nuit ici, le temps de visiter le cirque, le théâtre, le phare, puis le musée, avant de terminer la journée à la plage, au pied de la balustrade qui borde la place carrée aux bel-hombras vénérables. Après une nuit dans cet hôtel, ils partent tôt, pour aller voir de plus près l'aqueduc le plus long, et se diriger ensuite vers Tipasa et ses ruines, aussi pour loger plus longtemps au complexe touristique, proche du Chenoua :

Tu as donc écrit sur la fiche le nom de ton père, ton prénom – pas celui du mari puisque, le divorce ayant été enfin prononcé, tu as repris ta première identité, et c'est peu après, par hasard, que tu reviens ainsi dans ta ville. Tu reviens en tant que fille de ton père. Mina, ta nouvelle amie, est surtout la fille de sa mère – l'héroïne de Césarée était née dans la plaine et, par son dernier mariage, elle s'était ancrée au cœur de l'antique cité.

A l'heure du dîner, ce même jour, j'entre chez Dame Lionne chez laquelle je retrouve Mina. A la manière traditionnelle, je pose un baiser sur l'épaule, puis sur la soie de la coiffe

de l'hôtesse. Lla Lbia s'assoit face à la treille.
Celle-ci est fière de supputer tout haut ce que
sera, début septembre, sa petite récolte de
raisin : de l'espèce la plus belle du pays et qui
fait la fierté de la ville.

– J'espère obtenir bientôt, dit-elle, si Dieu le
veut, sept à huit kilos au moins de ce raisin si
recherché ; on l'appelle le *cherchali*. Regarde,
même tout petits encore, la couleur spéciale
des grains se devine : rouge, avec des transpa-
rences, sa chair deviendra si ferme et son jus,
on en devient insatiable... (Elle rit.) Si j'osais,
et que Dieu me pardonne, il est, dans la
bouche, j'en suis sûre, meilleur que tous les
vins que boivent les chrétiens !... (Elle rêve.)
Toi qui es de la ville, tu te souviens, n'est-ce pas,
de son nom : le raisin *ahmar bou 'Ammar* !

– Je me souviens, je réponds, presque
mélancolique et me tournant vers Mina,
traduisant de l'arabe dialectal en français :
Ahmar bou 'Ammar, ce si fameux raisin de
table, comment transposer ces mots, Mina ?
(Je cherche, je souris puis, incertaine :)

  Rouge écarlate, le raisin de 'Ammar.

– Un peu trop long, remarque Mina. La
concision, en arabe, est belle car il y a rime !

– J'en envoyais, dans le temps, se souvient
Dame Lionne, au moins deux kilos à ma belle-
sœur qui habite Alger. Qui n'en trouvait
jamais, disait-elle, au marché, là-bas.

Elle se tait, puis ajoute, livrée au souvenir :

– Que Dieu et ses saints aient son âme et qu'elle soit, je l'espère, sous leur garde, au Paradis !

C'est vers Dame Lionne qu'avec élan je me tourne et à qui je m'adresse :

– J'étais au musée tout à l'heure, surtout pour revoir les mosaïques. J'aurais aimé contempler davantage la plus connue, celle sur « les travaux champêtres » ! Peut-être que j'aurais pu voir cette qualité de raisin... Il devait se cueillir, comme aujourd'hui, j'en suis sûre.

Mina apporte la table basse, les plats, le pain et, pour finir, une soupière qui semble bouillante.

– Cependant, continué-je, je n'ai stationné que devant une étrange mosaïque dont je ne me souvenais plus ! Savez-vous – je m'anime, je prends un ton presque pédagogique en direction de l'hôtesse –, trois femmes représentées sur cette fresque d'il y a près de deux mille ans, ce fut comme si elles s'étaient éveillées aujourd'hui, sous mes yeux fascinés !... (Je revois les images.) Trois femmes ou, plus exactement, trois femmes-oiseaux, oui ! Je crois même que personne n'a jamais ainsi dessiné les femmes, dans aucune des mosaïques si célèbres de la région, ni à Carthage, ni à Timgad, ni à Leptis Magna. Je suis prête à le parier. Des femmes, celles de Césarée ! De longues pattes d'oiseaux prêts à s'envoler au-dessus de la mer – c'est une scène marine, elles sur le rivage, contemplant un grand vaisseau au centre de la scène, flottant au-dessus des vagues. Leurs faces sont si belles, leurs couleurs nuancées ont traversé les siècles et conservent leur éclat.

– Des femmes de Césarée dans la pierre, j'aimerais bien aller les admirer, intervient l'hôtesse, elle qui est si rarement sortie de sa maisonnette – la dernière fois, pour aller jusqu'au tombeau du Prophète Mohammed à Médine.

– Je la connais, cette mosaïque, s'exclame Mina qui enfin s'assoit : Tu as raison, peut-être n'est-ce pas la plus belle, mais, en tout cas, c'est la plus étrange ! Elle fut découverte dans les années trente, je crois, dans la ferme d'un petit colon ! Son titre est révélateur : *Ulysse et les sirènes*, un épisode fameux de *L'Odyssée*. Sur le bateau, le personnage central paraît figé. Il a demandé auparavant à ses hommes d'équipage de l'attacher contre un mât, mais aussi que ses compagnons (ils sont deux, ici seulement, n'est-ce pas ?) se bouchent les oreilles avec de la cire. Sais-tu, tante, c'est une scène de séduction d'où le héros Ulysse doit sortir vainqueur ! Il veut absolument continuer son voyage, mais il veut tout autant écouter le chant des sirènes, être le seul à admirer le chant tentateur, alors que les deux hommes d'équipage doivent guider le bateau...

Mina se met à rire devant la scène qu'elle revoit et, tournée vers moi :

– N'est-ce pas étonnant, d'ordinaire, les

sirènes sont imaginées en femmes-poissons plutôt ?

– En tout cas, comme Ulysse, nous sommes, nous aussi, bien loin de la Grèce. Je suis sortie du musée mais ces femmes-oiseaux de Césarée ne m'ont pas quittée : vont-elles attirer vers elles le bateau qui passe ? S'ils entendaient ce chant, les hommes ne verraient plus que le rivage est dangereux : or la mosaïque ne rend pas présent ce risque de mort. Non... La scène semble entièrement baignée par la magie de la musique : chacune des femmes, en effet, tient dans les mains, l'une, une flûte double, l'autre, une lyre. Des musiciennes prêtes à... s'envoler, je crois ! Quant au héros, Ulysse, il les écoute, il souffre puisqu'il s'est fait enchaîner...

Nous nous installons pour goûter la soupe à la coriandre. Tandis que ma main rompt le pain d'orge, je reste immergée dans la scène antique.

– Ce sont nos femmes d'aujourd'hui, ces oiseaux de la mosaïque ? demande Dame Lionne, encore pensive.

Elle pose un long regard sur moi, l'étrangère et, presque tendrement, elle me débite un compliment :

– Je disais tout à l'heure à Mina combien je connais ta généalogie : le père de ta mère que, toi, tu n'as pas connu. Il portait un surnom (c'était autrefois l'habitude ici, dans les familles bourgeoises : au lieu du nom de la carte d'identité, celui-ci d'origine, mais souvent ayant été déformé par l'administration des Français, donc, pour chaque demeure, on ajoutait un surnom oral, à partir souvent d'un trait de caractère du patriarche) ; ainsi ton grand-père était surnommé *El Chatter*, à cause de sa perspicacité... (elle soupire, trempe sa cuillère dans la soupe).

– Tu es comme lui, ma fille ! Ton regard au moins, je le trouve perspicace !

Moi, pressée par une interrogation tenace, je découvre ce qui me taraude, quant à ces dames du passé si lointain.

– Ce n'est pas tant parce que les couleurs de la mosaïque restent inaltérées, non. L'une des trois femmes-oiseaux a un corps à demi effacé. Mais les couleurs, elles, persistent... Je me disais, en venant jusque-là : Elles vont s'envoler, c'est sûr, ces femmes de la ville : avec leur chant et leur légèreté ! Or (et je m'attriste, tout haut) la torpeur, depuis 1962, s'est réinstallée, écrasante : on la sent dans les rues, dans les patios, mais pas là-haut, ni dans les montagnes, ni dans les collines où flotte comme une réserve désabusée des gens, une poussière de cendres en suspens, après le feu d'autrefois !... Une seule femme s'est vraiment envolée : et c'est ta mère, ô Mina, c'est Zoulikha.

Au cœur de la nuit, revenue dans ma chambre, pendant une insomnie longue et

languide, le récit de Dame Lionne que j'avais
écouté sans poser la moindre question
commence à se dérouler en images successives : d'abord, la silhouette de Zoulikha soudain envahit la chambre, allant et venant, moi
ne me demandant même pas la raison de cette
hallucination – en vérité, dans ce demi-rêve fait
autant d'actions que de couleurs nostalgiques
un peu passées, il me semble – moi, dans mon
lit, les yeux ouverts, tandis qu'à travers les fenêtres non fermées la clarté de la nuit facilite cette
irréalité – il me semble que mon corps, ainsi
étendu, est devenu la ville elle-même, Césarée,
avec ses ruelles du quartier ancien, d'El Qsiba
et, béantes, les portes de l'enceinte telle que
celle-ci existait du vivant de Zoulikha...

Je vois peu à peu Zoulikha, appelée par les
gens des collines et des vergers au-dessus de
Césarée (la tribu des Oudaï), qui arrive chez
eux à la nouvelle de la mort d'El Hadj, son
mari, dont le corps vient d'être rendu aux siens
par l'armée. Zoulikha s'isole dans ce vestibule
devant le cadavre étendu, yeux fermés : elle
s'incline, elle palpe de sa main les blessures à
la poitrine, à la tempe et aux bras. Elle trempe
ses deux mains dans le sang pas encore séché
d'El Hadj. Elle ne pleure pas ; ses lèvres mur-
murent, quoi, une prière islamique, un serment, « que dorénavant c'est à elle... », peut-
être lui dit-elle des mots d'amour, la promesse
qu'elle continuera son action...

Quand elle sort dans le patio où l'attendent

parents et alliés, elle parle seulement de l'enterrement, le lendemain. Elle doit descendre en ville. « Quelques précautions, ajoute-t-elle, à prendre. » Elle reviendra chez les Oudai pour le troisième jour ! « Et que Dieu nous soit miséricordieux, à nous désormais ! » conclut-elle sobrement. Une jeune sœur se met à pleurer, mais Zohra Oudai, durcie, est là pour affirmer qu'il est indigne de pleurer, et elle précise : « Un martyr repose encore dans cette maison, parmi les siens ! Cet honneur, nous avons à le mériter ! »

Zoulikha échange quelques embrassades, puis se laisse conduire par l'un des jeunes hommes qui la ramène en ville : le contrôle, comme d'habitude, aux portes de l'enceinte. « A demain ! » dit-elle, avant de s'envelopper du voile de soie des citadines de Césarée.

Je la vois revenir chez elle – dame voilée, le port droit, les yeux non baissés et qui doit se dire : Césarée m'est désormais ville vide... sans lui ! Calme, le seuil franchi, je la vois étreindre ses enfants, les deux derniers si jeunes, puis faire le nécessaire : demander à la voisine qui a le téléphone à domicile d'avertir à Blida son fils El Habib, le fils de son second mari, un jeune homme désormais. Elle sait qu'il viendra : El Hadj a été en quelque sorte son mentor...

J'éteins la lumière dans la chambre ; je veux tenter de dormir. Cette fois, c'est la voix de

Dame Lionne – elle qui n'a pas dû bouger de sa place, depuis que je l'ai quittée trônant dans son patio. Sa voix grave, qui par moments halète, se suspend, puis reprend son cours, comme s'il s'agissait d'un conte :

– Son fils, élevé par le père, était militaire de l'armée française. A peine plus de vingt ans, avait-il. Alors, sans doute sous l'influence d'El Hadj – car El Habib venait voir souvent sa mère –, il s'était mis à faire parvenir des armes, paraît-il, au maquis de là-bas. A la nouvelle de la mort d'El Hadj, il tint à venir pour l'enterrement. Il retourna le lendemain à Blida. On sut peu après qu'il avait été arrêté, sur le retour. On le tortura huit jours ; il n'avoua rien. On le libéra mais, quelques jours plus tard, il disparut.

La voix de Dame Lionne semble s'éloigner, dans l'obscurité de ma chambre. J'entends encore :

– Zoulikha se mit à aller à Blida ; elle voyait les avocats, elle questionnait... Quelques mois après, il y eut le procès : Lahbib, décréta ensuite leur justice, est acquitté ! Bien sûr, il n'avait rien avoué... Mais toujours aucune nouvelle de lui : certains disaient qu'il avait réussi à monter au maquis, d'autres que les paras, ou les gens de l'OAS, qui commençaient à se manifester plus directement, s'étaient emparés de lui et l'avaient tué. Zoulikha ne se résigna pas ; elle allait et venait ; à Blida, elle se rendait dans les familles des militants. Elle ne se plaignait jamais, la pauvre !

Est-ce la voix qui s'en va, est-ce le sommeil qui m'envahit ?

Au matin, tout en annonçant à l'hôtel que je partirai le lendemain matin, je décide, sans coup férir, de retourner chez Dame Lionne, près du théâtre romain.

Je m'excuse, dès l'entrée, de mon intrusion. Je raconte ma nuit, habitée encore par ses récits sur Zoulikha. J'ai besoin de me retrouver, dans cette période où Zoulikha, harcelée, semblait-il, durant les mois qui suivirent la mort de son mari, par le commissaire Costa qui la faisait appeler à tout moment.

– Oui, Lla Lbia, pardonnez-moi, je voudrais comprendre comment, ainsi cernée, elle en était venue à organiser, en ville et avec tant de bourgeoises après tout bien tranquilles, donc apeurées, c'est normal, ce que vous appelez « un réseau de femmes » qui s'est mis en place grâce à elle. Ne m'en veuillez pas : cela concerne autant l'histoire de ma ville que la vie de Zoulikha.

– Certainement, ô ma fille ! répond l'hôtesse.

C'est l'heure où l'on verse, à grands bidons, l'eau sur le carrelage du patio.

– Car, hélas, maugrée l'hôtesse, même dans notre ville, si célèbre autrefois pour l'abondance de ses sources, nos gouvernants nous laissent parfois un jour avec eau, un jour sans !... Hélas !

La visiteuse suit Dame Lionne dans sa chambre, ombreuse et fraîche, tandis que la jeune voisine qui lui sert de servante s'active aux travaux ménagers.

Le café servi selon le rite, Dame Lionne se concentre sur ses souvenirs.

– Quand El Hadj fut tué au maquis, on le sut aussitôt dans toutes les maisons de la ville. Les dames, toutes émues, allèrent le jour même, dans l'après-midi, présenter à Zoulikha leurs condoléances. On sut que le corps avait été rendu aux gens de sa tribu et que l'enterrement aurait lieu là-haut.

J'y allai, moi aussi, le même jour. Sa maison était pleine. Je trouvai Zoulikha le front bandé d'un foulard. Elle m'emmena dans une petite pièce où nous étions seules. Là, elle ouvrit l'une de ses mains : il y avait du sang séché. « C'est le sang d'El Hadj ! me dit-elle. J'y suis allée ce matin. Ses parents m'ont laissée seule avec lui, avant de le laver. J'ai embrassé toutes ses blessures !... Demain, ils l'enterreront ! Je serai avec eux !... C'est sa fin ! » ajouta-t-elle, sans même soupirer.

Après cela, continue Lla Lbia, dans les semaines qui suivirent, survint la disparition – ou la mort – de son fils El Habib. Elle s'épuisa dans les voyages à Blida !... Sans résultats.

C'est alors que le commissaire Costa, de

Césarée, se mit à la convoquer pour d'incessants interrogatoires. Il prit le prétexte de ses enfants petits, pour lui dire qu'il ne l'arrêtait pas, du moins, d'emblée... En réalité, sa maison devait être surveillée jour et nuit : ils espéraient, à partir d'elle, trouver quelques liaisons.

A chaque fois, Zoulikha, durant des interrogatoires de plusieurs heures, tenait tête à ce commissaire qui avait la réputation de ne jamais lâcher prise. Il la convoquait vraiment très souvent : il pensait diminuer sa résistance par l'usure... Elle nous dit un jour qu'il lui répétait : « Tu veux m'avoir ! Tu veux m'avoir ! »... Avec cela, disait-elle, il restait poli, « presque comme dans un salon » et, soudain, une question inattendue lui était lancée. Elle, elle demeurait sur le qui-vive et veillait à ne pas faire la moindre erreur.

Un jour que sa fille aînée avait réussi à venir la voir jusqu'à Césarée, Zoulikha lui parla ainsi – ce fut Hania qui me rapporta, plus tard, les propos de sa mère : « Costa, je le sens à sa vivacité, à son excitation, je le sens comme une bête vorace posée sur ma nuque ! Il est à l'affût : c'est lui qui cherche à m'avoir !... Vais-je glisser, vais-je me tromper dans une réponse, inutile d'y songer... » Puis elle avait ironisé, selon son habitude : « En vérité, ce qu'ils désirent tous, ces Européens de la ville, c'est me faire comme Jeanne d'Arc (elle rit amèrement). Oui, vraiment, ils veulent me griller sur leur place publique, pour que les

Arabes descendent des montagnes et viennent me voir mourir ! »

Hania me répétait ces mots de désespoir. Pourtant, je t'assure, Zoulikha restait forte : par sa ténacité, par sa volonté. Elle avait réussi à se faire remettre les affaires de son mari, quand il avait été abattu : y compris une montre en or qu'il portait en sautoir. Elle réclama l'importante somme d'argent qu'il gardait sur lui ; elle argumenta que c'était l'argent de son travail, du fait même de son métier de maqui-gnon car, avec les paysans, dans les affaires traitées, c'était de parole à parole, comme tou-jours. Elle affirma que cet argent était celui de ses enfants, désormais orphelins.

Elle aurait peut-être eu gain de cause, si tout – et Dame Lionne eut un sursaut – ne s'était pas précipité alors.

– Qu'arriva-t-il ? j'interroge, impatiente.

– Entre-temps, une partie des membres de la cellule politique avec laquelle elle travaillait (quand El Hadj était monté au maquis, elle assurait la liaison entre celui-ci et ses alliés de la ville), ces complices furent arrêtés et... (Dame Lionne eut un geste de dédain de la main) quelques-uns d'entre eux, je ne les citerai pas, disons qu'ils furent des agneaux et pas des hommes !

Quand je sus ces arrestations, aussitôt, je mis mon voile et montai jusque chez elle. « Que vas-tu faire : untel est arrêté, untel, untel... ! Ne compte pas trop sur leur courage : ils vont avouer, c'est sûr, un ou deux d'entre eux, en tout cas. Et la France va arriver à toi ; ils vont dire de toi : voilà le fil qui va de la ville à la montagne ! »

Elle ne montra pas son désarroi, à son habitude. Nous restions toutes deux, dans le vestibule. Elle raisonna ainsi : « Tel ou tel va avouer : huit cent mille francs de collecte que j'ai reçus, en effet, et fait passer là-haut ! On va venir me dire : où est cet argent ? Si j'avais maintenant de l'argent personnel, je le donnerais : j'aurais même pu prétendre que j'avais voulu le garder pour moi ! Mais cet argent, je ne l'ai pas. Ils auront ainsi la preuve et c'est terrible. Ils vont monter au douar des Oudai, et tout le douar va payer !... Je dois fuir maintenant ; je ne veux pas que des dizaines et des dizaines de paysans soient frappés à ma place ! »

C'est ainsi qu'elle est montée ; du moins, elle s'est cachée au début chez les gens des vergers ; puis elle s'est déguisée en paysanne.

Dame Lionne garde le silence un moment puis ajoute :

– Que tout cela semble loin et pourtant, me faire ainsi parler d'elle, dans les détails, je t'assure, ô ma petite, que c'est un baume sur ma peine !

7

Deuxième monologue de Zoulikha

Tout a commencé, tout a fini avec un défi.
Le commissaire de police Costa, le seul
homme qui ne quittait pas mes pensées, les
dernières semaines où, dans notre maison,
je préparais les repas, je rangeais, dans la
grande armoire à glace, les draps aux bords
ajourés, je lessivais chaque matin, avant midi,
le carrelage vert pâle autour du bassin, sous
la treille.

Costa me convoquait une ou deux fois par
semaine, depuis la mort d'El Hadj, votre père.
Ensuite, ce fut presque un jour sur deux.
L'interrogatoire durait alors toute la matinée,
trois heures, quelquefois quatre. Il concluait
chaque séance par la même phrase dite sur
un ton paterne :

– Tu as des enfants à nourrir... C'est l'heure
du repas pour eux ! Tu as de la chance d'être
une mère de famille, et dans cette petite ville
où tout le monde se connaît !... Avec d'autres
que moi, à ma place, c'est en prison depuis

longtemps que l'on mènerait ton interrogatoire.

Je relevais mon voile qui avait glissé sur
mes épaules ; je le remettais sur ma tête,
j'emprisonnais à nouveau mes cheveux ! Je
serrais même les pans du tissu entre mes
dents. Je gardais la voilette de gaze à la main.
Puis je sortais, le visage découvert, le voile de
soie et de laine m'enveloppant le corps entier.
Je m'en allais dans les longs couloirs gris où
les policiers me dévisageaient, hostiles, souvent alors qu'ils traînaient sans ménagement
des adolescents suspects ou des paysans d'âge
mûr, vers les cellules.

J'arpentais, unique silhouette de femme
voilée et droite, ces artères de la peur. J'émer-
geais dans la rue. Je masquais alors mon visage
presque entièrement : seul, mon œil libre,
en triangle ouvert. Ainsi voilée à la façon paysanne, et non comme une citadine, moi,
pourtant la veuve du maquignon El Hadj, que
chacun, dans mon quartier, reconnaîtrait... El
Hadj, tué au maquis, quelques semaines
auparavant.

Je remontais les ruelles de mon quartier,
alors que les boutiquiers avaient déjà fermé
leurs échoppes, certains pour aller à la prière,
les autres pour éviter la canicule. Vous, mes
tout petits, mes enfants, vous m'attendiez.
Devant la table basse où tout était prêt – ma
Mina, moins de dix ans alors et que l'angoisse

de mon absence (si je n'allais pas revenir ?...)
muait en précoce ménagère.

– Mangeons ! disais-je en entrant dans la
courette. Voilà votre mère qui rentre, voilée
comme une Bédouine !

Et je tentais de plaisanter ; nous déjeunions
en silence, tandis qu'à la radio on annonçait
des ratissages dans des monts proches, quelquefois aussi l'explosion de bombes dans la
capitale. Justement, dans la capitale, pas dans
Césarée qui semblait vouée à une torpeur
éternelle.

Toi, ma Mina, je ne te disais pas que je me
rendais aux convocations du commissaire
Costa. Mais tu savais qu'il y avait secret, tu
sentais que le danger approchait, de plus en
plus près ; tu levais les yeux vers moi, les prunelles aiguës, à l'affût, tu te forçais bravement
à me sourire.

– J'ai veillé sur mon petit frère !

Et j'avais peur, la nuit, je gardais les yeux
ouverts, la nuit, à force de me dire que vien-
drait le temps où, toi, fillette de dix ans, tu
aurais à veiller, seule, ici, nuit et jour, sur toi-
même et ton frère. Non, ce serait trop dur :
gagner du temps... comment ? chercher... Le
commissaire Costa ! murmurais-je pour moi
seule, le cœur étreint. Comment desserrer
quelque peu l'étreinte d'acier de mon angoisse
(si je flanchais, si je me trompais dans une
réponse, si...).

Le défi ! J'ai plongé, les deux mois suivants,

dans tous ces interrogatoires où il me faisait
appeler, au dernier moment (à chaque fois,
deux coups frappés par un inconnu en civil,
son papier glissé sous la porte que je prenais,
que je lisais : Convocation d'urgence, je met-
tais aussitôt mon voile).

J'aurais dû me dire : Quelle femme, un jour,
dans cette ville, a dû se rendre « d'urgence »
vers un amant, dont elle saurait qu'il lui
apporterait presque sûrement la mort, ou
l'oubli, ou, pire, la condamnation de tous, à
sa suite ? Je me rendais, durcie, peu à peu
m'habituant à cette excitation lente aux yeux
de lynx, ivre surtout et me nourrissant insen-
siblement, tous ces jours, de cette inquiétude
intense.

L'homme était redoutable. Je me dis une
fois, proche soudain de lui : Est-ce qu'il torture lui-même... et avec ces mains ? Sa silhouette trapue, ses épaules larges : debout,
massif et haut, l'estomac proéminent sous la
veste, ne portant jamais d'uniforme. Sous les
lunettes épaisses, le regard pesant, aigu ; au
milieu de chaque entretien, enlevant d'un
geste vif ses verres d'une main aux doigts soi-
gnés, les essuyant lentement, les balançant
ensuite contre l'épaule, prenant enfin son
temps pour ouvertement me faire face. A cette
pause, à ce sommet de la confrontation, au
cœur de notre duel silencieux, moi debout (je

me dressais instinctivement comme s'il allait me frapper et que j'étais prête à parer, à esquiver, à répliquer), le voile glissait entièrement sur le fauteuil où auparavant j'étais assise. Peu importaient ses paroles à cet instant, sa voix insinuante, proche, étrangement douce, comme si elle tentait de m'amener à arrêter quoi, ma guerre inavouée dont il cherchait des preuves, mes tractations secrètes dont il humait la trame, sans toutefois la saisir.

Le piège, il s'efforçait, avec ses façons de calme feutré, de ruses silencieuses, par sa lenteur à questionner dans ce climat étrange (soudain cordial à tel point qu'on pouvait le croire sincère), il tendait autour de moi sa toile d'araignée invisible, bien visible – moi, sa proie, qu'il découvrait difficile à saisir, une anguille qui glissait, en dépit de ma façon contrainte de résister, quoi qu'il dise et quels que fussent ses compliments sur « mon beau français et mon instruction » (« rien qu'un simple certificat d'études primaires, commissaire ! » répondais-je). Non, je ne serais pas sa proie immobilisée, non ! Prête, si cela devenait nécessaire, à invectiver, peu importerait alors le prix ! Une fois, je me dis que, si quelqu'un, à cet instant, s'était introduit – maquisard ou policier –, il aurait imaginé aisément, entre nous deux, comme une approche du moment amoureux, moi debout sans avancer d'un pas, et Costa, pas seulement de la voix, mais du corps, prêt, cette fois, à m'enlacer, me violenter, m'étreindre en croyant ainsi me briser... Oui, la seconde du viol craint, désiré, renié, s'esquissant chaque fois, nous y pensions confusément, lui et moi. Mais lui ignorait jusqu'où ma haine, ma défense habile, sourcilleuse, pouvait s'exercer, et moi ne sachant plus si le défier, me garder, me plaisait davantage parce que cela pouvait tanguer, verser d'un coup dans le viol. Un viol sans complicité, mais peut-être sans haine.

J'analysais cela, tandis que je revenais dans mon quartier assoupi : je ne haïssais plus cet homme, la rivalité ainsi affrontée, pour mon corps aux aguets, seconde après seconde, aboutissait à un instant plat, à un entre-deux neutre, béant. Il me fallait en sortir.

Je te parle, ô ma petite, du commissaire Costa (même si, deux ans après mon « envol » – ou, si tu veux, ma disparition, d'autres maquisards, des « fils » à moi qui dormaient dans la grotte où tu es venue plus tard, ont réussi à le surprendre, à le tuer, une nuit, dans une ruelle où il s'aventurait seul, car on finit par savoir qu'il avait une amie, une prostituée berbère – ils l'ont tué en l'égorgeant par la nuque, le laissant se vider le plus longtemps possible de son sang, non loin de l'hôpital militaire...). Auparavant, moi et lui vivants, je me disais : il va me contraindre à partir, à devoir quitter les enfants, à « monter » !

Dirais-je que ce long défi envers cet homme fut ma chance ? Dirais-je que, malgré mes trois maris, moi, ombre surplombant toutes les ruelles d'aujourd'hui, cherchant par ma voix à t'envelopper, c'est le fantôme d'un homme égorgé par-derrière qui me hante ?

Il faudrait se dire : sur cette terre, la condamnation vient-elle du fait que nous nous trompons parfois d'ennemi ? Que notre défi nous est nécessaire pour sortir du sommeil et que peu importent le visage et le corps adverses qui nous servent de butoir, j'allais dire de point d'envol ? Nous cherchons la scène, nous nous avançons irrésistiblement comme des acteurs de théâtre ; or, devant le vide des spectateurs, nous nous construisons au hasard un cadre, un trait de craie esquissé à la va-vite... Vite, un ennemi, vite, une voix à défier : et nous cherchons hors de notre sang alors que, la première des énigmes, nous la portons en nous, non...

Le commissaire Costa, je te le dis, ma chérie, ma toute petite, m'a délivrée car il m'a poussée à décider, à partir en avant, à couper les entraves : était-ce donc, dans ce cas, vraiment lui, l'ennemi ?

On raconte qu'un siècle exactement avant que je monte dans les douars de montagne,

sous les remparts de Bougie nouvellement
conquise par les soldats français, les guer-
rières berbères sautaient sur les chevaux de
leurs époux morts sous leurs yeux et allaient
sous les remparts braver l'ennemi. Elles se
faisaient, à leur tour, tuer en Amazones ! Et
les nouveaux conquérants de s'étonner :
« Quel est donc ce peuple, pour avoir de telles
femmes ? » écrivaient-ils.

Ne faudrait-il pas saluer ces étrangers
spectateurs, qui seuls peuvent témoigner que
nos corps de femme, en explosant sous la
lumière, retrouvent joie et salut dans cette
mort chantée ?

8

Où Zohra Oudai replonge dans le passé

Mina et sa nouvelle amie, la visiteuse, sont-elles devenues inséparables ? En tout cas, elles consacrent une journée entière à faire du tourisme : elles vont étudier les deux aque-ducs, le plus long, celui de l'oued Bellah, et l'autre, plus court, l'aqueduc du Chenoua. Elles s'attardent au forum, puis à l'amphi-théâtre, avant d'entrer, ensemble cette fois, au musée : pas seulement pour la plus étrange des mosaïques, mais pour toutes les statues de déesses – et Mina d'imaginer qu'elles seraient replacées partout dans la ville, dans leur nudité parfois, ou leur drapé qui laisse-rait deviner la plénitude des formes. Si bien qu'en hommage au prince savant, époux de Cléopâtre Séléné, toutes les femmes encore voilées de la ville – en blanc ou en noir – se dévoileraient au pied de ces statues qui, ainsi, auraient annoncé l'avenir...

Le lendemain, les deux visiteuses – car c'est soudain l'étrangère (ou du moins surnommée telle) qui a entraîné, dans sa mobilité, Mina qu'elle oblige à regarder Césarée dans les arrières de son histoire ! – retournent aux collines et à leurs vergers.

Elles descendent devant le portail de tante Zohra qui les accueille, les bras nus, au milieu des fumées de son four à pain. Tante Zohra éclate d'un rire de joie en les installant.

Reconnaissantes, elles se reposent sur des matelas étalés dans le préau de la cour.

– Mes petites, commence Zohra Oudai, ce matin encore, avant que le soleil ne monte dans le ciel, ce matin (et elle dépose son pain tout chaud devant les arrivantes), qui est venu m'aider pour allumer le four ? Car je ne peux, maintenant, avec l'âge, nettoyer seule le ventre du four, puis disposer les fagots pour le feu et, surtout, faire qu'il ne fume pas trop longtemps... Je ne supporte plus !

Elle rit à nouveau, elle, la veuve de guerre, mère de trois fils tués en martyrs, elle qui ne veut plus descendre en ville, « chez les chacals ! » comme elle dit.

– Ainsi, poursuit-elle (elle coupe elle-même, de ses doigts rougis au henné, les galettes de seigle qu'elle présente aux « petites »), mes douces, mes petites, je parlais de vous, ce matin, car qui est venu m'aider ? (Elle hoche la tête, s'attriste soudain.) Dieu est grand dans sa miséricorde, dur souvent quand il nous frappe de plusieurs deuils d'un coup, mais, tout de même, il y a aussi sa miséricorde !

(Elle ajoute :) La miséricorde de Dieu, sur moi aujourd'hui, c'est ma cousine Djamila. Elle habite à côté. Vingt ans de moins que moi, elle a : je me souviens, j'étais jeune épousée quand j'aidais ma tante paternelle, à la porter, elle, bébé. Dans ce douar, nous habitions tous. C'était temps de paix, alors. Or, tandis que ma vie va finir, c'est elle, Djamila, que je portais dans mes bras – elle pleurait toute la nuit, des mois et des mois, cela dura, et sa mère me suppliait : « Je n'en peux plus ! Cette fille est amère ! » Ainsi disait sa propre mère. Et moi, chaque nuit, près de l'époux qui dormait d'un sommeil de plomb, qui ronflait – que Dieu l'ait aujourd'hui dans son salut –, moi je la berçais, je m'endormais, je me réveillais peu après en sursaut, elle gémissait, elle pleurait par petits coups, puis fort, alors me voici à la bercer des heures durant, jusqu'à la première prière d'avant l'aube... oui... Je ne sais pourquoi je vous raconte cette époque.

Djamila, que je portais donc, tout en dormant à moitié, Djamila justement me « porte » aujourd'hui, quarante ans après... La miséricorde de Dieu, vous dis-je ! J'ai eu quatre garçons et une seule fille. C'était écrit que ma cousine germaine serait tout comme ma fille !... Elle habite tout à côté, et, chaque matin, avant de commencer son ouvrage, elle aborde sa journée en entrant chez moi : « par piété », dit-elle. « Ô ma tante – elle m'appelle ainsi –, dis-moi ce que je dois faire dans ton ménage aujourd'hui !... »

Tante Zohra hoche la tête d'un air méditatif.

– Tôt ce matin, c'est comme si l'ange Gabriel m'avait annoncé : « Mina, ta petite Mina, va, à nouveau, te rendre visite ! » Oui, oui, j'ai entendu, dans ma tête, cette voix. Je me suis dit : La visiteuse est encore dans la ville, sans doute ! Elles viendront peut-être à deux. Je vous raconte comment ma journée a débuté. Car, trop souvent, le matin, entre les deux prières, je dois avouer que je n'ai goût à rien, pas comme autrefois... M'asseoir face au verger, devant nos montagnes, et deviser avec nos absents : un jour, mon premier fils, quelquefois, leur père... Quelquefois, mon frère, celui qui m'était le plus proche au cœur et que j'ai pu enterrer !...

Sa main, posée sur sa coiffe, soudain chasse le vent ou d'invisibles moucherons, comme si elle tentait d'éloigner des souvenirs en écharpe.

– Ce matin, j'ai donc pensé à toi, ô ma Mina ! Je me suis dit : Mais si elle ne vient pas, je resterai là, là où vous êtes toutes deux assises, et je parlerai, à défaut de la petite, avec sa mère (elle a un sursaut, frotte sa joue), avec Zoulikha, que Dieu lui assure le salut !

Les visiteuses boivent leur thé longuement.

– Brisez les galettes encore chaudes, je vous en prie. Où en étais-je ? Ma cousine, donc, ce matin, quand elle s'est présentée, je n'ai pas hésité, je lui ai dit résolument : « Malgré la chaleur qui va enfler, je t'en prie, ma fille, allume-moi le four !... Au cas où me viennent les invitées ! »

Cette Djamila, ma cousine germaine, j'avais dû déjà vous parler d'elle, la dernière fois où vous êtes venues.

Le soleil, par-dessus le muret ceinturant la cour, commence à baisser. La tante Oudai, sèche et menue dans son pantalon bouffant à fleurs, se lève, se rassoit, veille à ce que ses « petites » se restaurent. Mais elle semble désormais, en compagnie de Zoulikha, plongée en arrière, quinze ans auparavant.

Ainsi – rêve l'étrangère – Zoulikha l'héroïne flotte inexorablement, comme un oiseau aux larges ailes transparentes et diaprées, dans la mémoire de chaque femme d'ici...

– Vous parler de Djamila ?

La voix de Zohra Oudai repart, palpitante :

– Vous vous souvenez de la fois où l'officier français pénétra jusque dans ma cour, Zoulikha étant, par chance, préservée au fond de mon verger ?

– Peut-être, intervient Mina, peut-être que si... si ma mère avait été arrêtée alors (c'est la seule fois, remarque son amie, où elle parle directement de sa mère), Zoulikha aurait été torturée, Zoulikha aurait été emprisonnée... Mais peut-être, je me le dis maintenant, qu'elle serait vivante et... (sa voix s'embrume de larmes), elle parlerait, à l'heure présente, de cela avec toi... avec nous !

Tante Zohra verse le thé qui a refroidi ; elle réfléchit, tête baissée, puis commente :

– Ô ma Mina, ne dis pas : si... si... La volonté de Dieu est ainsi, qu'y faire ? Arrêtée ce jour-là, peut-être le sort aurait-il été pour Zoulikha plus dur, plus...

Hochant la tête sentencieusement, elle change de ton. Comme dans une histoire gaie, elle retourne résolument à « l'histoire de Djamila »...

Une histoire dans l'histoire, et ainsi de suite, se dit l'invitée. N'est-ce pas une stratégie inconsciente pour, au bout de la chaîne, nous retrouver, nous qui écoutons, qui voyons précisément le fil de la narration se nouer, puis se dénouer, se tourner et se retourner... n'est-ce pas pour, à la fin, nous découvrir... libérées ? De quoi, sinon de l'ombre même du passé muet, immobile, une falaise au-dessus de notre tête... Une façon de ruser avec cette mémoire... La mémoire de Césarée, déployée en mosaïques : couleurs pâlies, mais présence ineffacée, même si nous la ressortons brisée, émiettée, de chacune de nos ruines.

– Rappelez-vous, ce jour de l'officier français... (La voix de tante Zohra est presque allègre.) Il l'a interpellée, n'est-ce pas, ainsi que les tantes, les cousines...

Et l'étrangère, de reprendre l'écho des mots

français, rapportés, déformés, certes, par Zohra Oudai :

– Les femmes... sauvages !

– Exactement, souligne tante Zohra. Plus tard, une autre fois, tandis qu'ils avaient encore surgi, eux, les fils de la France – cette fois, Zoulikha n'était pas avec nous, étant déjà montée chez les partisans, cela devenait trop dangereux pour elle, ces allées et venues, de la ville à nos vergers, donc Djamila... mais je devrais l'appeler, pour qu'elle raconte la suite, elle.

– Non, c'est toi qui racontes le mieux, s'interpose Mina.

– Cette fois-là, en effet, ils crurent que Djamila était Zoulikha déguisée !... Pourquoi ? D'abord, elle avait l'âge, à peu près, de Zoulikha. Mais surtout, elle avait protesté lorsque les soldats, à leur habitude, faisaient sortir toutes les femmes, regroupées en une seule file. Djamila, c'est en français, figurez-vous, qu'elle leur a dit, sur un ton de colère et en français, ô doux Prophète : « Pourquoi, pourquoi vous nous sortez ? » Oui, mes chéries, en français !

Zohra Oudai revoit la scène, les yeux pétillants d'une malice inattendue :

– Ma cousine a prononcé ces mots en un français qu'elle avait appris, je ne sais comment, peut-être que, jeune fille, elle avait vécu quelque temps en ville chez des parents instruits. Les soldats, de l'entendre parler comme eux, se dirent aussitôt : « C'est elle, la fameuse Zoulikha ! » Ils l'emmènent, elle et sa dernière petite fille qu'elle portait sur son dos, dans une large ceinture nouée sur ses hanches. Ils l'ont fait marcher longtemps, longtemps, la malheureuse, à travers la forêt et sa petite de deux ans se balançant sur ses reins !... Ainsi, Djamila arriva à Césarée ! Des gens de là-bas racontèrent qu'à force de marcher dans les sentiers de la forêt, la pauvre, elle avait les pieds tout en sang !

– Alors ? s'impatiente Mina, tandis que tante Zohra reprend son souffle.

Le crépuscule a envahi l'horizon. La pénombre, déjà, glisse au-dessus du patio.

– A la caserne principale de la ville, les chefs déclarèrent aux soldats si zélés : « On ne vous a pas dit de nous amener une femme avec sa petite ! On vous a recommandé de vous saisir de toute paysanne, dans ces douars, qui a des dents en or, et un grain de beauté, là, sur le visage... plus exactement, sur la pommette gauche et en plein milieu ! »

Dehors, quelques voix d'hommes échangent des saluts avant de rentrer chez eux. Une chanson égyptienne, avec ses volutes, s'échappe d'une radio trop bruyante.

– C'est ainsi, continue tante Zohra, après avoir médité quelques minutes. Je me souviens que, à chaque rafle qui survenait, toutes les femmes d'ici qui avaient un dentier en or aussitôt l'enlevaient...

Elle rit, se détend puis explique :

– Vous êtes trop jeunes, mes chéries, pour comprendre : il y a eu une époque, juste après la guerre – pas la nôtre avec la France, l'autre, celle de l'Allemagne –, où s'était répandue une mode, dans les villes surtout, mais aussi dans les environs : on voyait des femmes, jeunes certaines, avec leurs dents blanches et saines comme des perles d'Orient... Eh bien, elles allaient chez l'arracheur de dents pour se faire tout enlever et se faire mettre dans la bouche un dentier entièrement en or ! Oui, leur fortune dans la bouche, se vantaient-elles, et elles ajoutaient : « Pour être plus sûres en cas d'adversité ! » Elles n'avaient pensé qu'à la répudiation, les pauvres, pas à la guerre !...

Donc, les épouses de paysans riches, ou aisés – cela, avant la Révolution –, avaient suivi cette mode. Notre guerre de libération arrivant, dans nos montagnes, voilà que ces mêmes femmes, si vaniteuses auparavant, devaient, à la moindre rafle, enlever en premier leur dentier, à cause précisément de Zoulikha, et elles de se retrouver sans rien, la bouche vide, telles des vieilles !

Zohra Oudai renverse sa gorge, entonne un long, spasmodique hululement railleur, vengeur, qui semble avoir attendu une décennie au moins pour fuser, irrépressible, en cascades éclaboussées, et cela tandis que la nuit engloutit les lieux.

Est-ce un cri de fête, est-ce un rire de fureur ?

Un peu plus tard, Mina, en se levant, explique avec vivacité à son amie :

– Ma mère, je le sais grâce à ma sœur, ma mère, quand elle accoucha de mon petit frère, a été malade une année entière : ses dents alors, par manque de calcium, étaient presque toutes tombées. Depuis, Zoulikha portait un dentier en or. Depuis sa guérison, par ailleurs, elle avait grossi : elle était devenue corpulente.

– Forte et solide, a commenté Zohra Oudai. On aurait dit qu'elle possédait notre force à nous, habituées, les montagnardes, aux durs travaux !

Zohra Oudai ajoute avec mélancolie : Le jour de la délivrance est venu, oui. Comme il a mis du temps !... Dieu, comme il a mis du temps, répète-t-elle, puis plus bas : Sept ans entiers, ce ne fut pas peu !

Après un long silence, debout, elle s'engloutit dans le passé.

– Un mois après sa disparition, les Français sont venus au douar. « Sortez ! » nous dirent-ils, et ils nous ont tout brûlé. Douze maisons alors appartenaient aux Oudai : moi et mes fils, nous en avions six, quatre construites en terre battue et deux en dur ! L'armée était venue la veille chez le président du douar : ils avaient trouvé chez lui la liste de ceux qui donnaient de l'argent pour les maquisards. Ils ont tué ce responsable. Nous, ils nous ont tout brûlé ! J'allais sortir quelques effets ; ils ne m'ont pas laissée. Ils ont mis le feu partout !... Le lendemain, j'ai retrouvé par hasard cette table basse, dans le verger, sous un oranger. Quand je me rappelle !

Zohra Oudai s'arrête : sans voix. Oui, la face pâlie, une main soudain tremblant spasmodiquement : elle ne peut continuer. Elle se lève, va et vient. Revient s'asseoir, avec soudain, entre les doigts, un chapelet aux grains noircis.

– Et donc, aux jours de l'indépendance ? intervient la visiteuse qui a vu l'émotion étreindre leur hôtesse.

– Le jour de la délivrance ? reprend, pas tout à fait en écho, tante Zohra, radoucie. Le premier mois après le cessez-le-feu, beaucoup de familles européennes, nous dit-on, partaient en masse, mais pas toutes. La directrice de l'école de filles, elle, est restée chez nous, jusqu'à sa mort. Moi, ici, je me retrouvais avec, à ma charge, les trois enfants de ma fille ; elle, son père l'avait mariée trop jeune au premier prétendant. C'était encore la guerre, et comme nous craignions qu'on attente à notre honneur !... Sortie de la maison de son père si jeune, la pauvre, elle a ensuite travaillé avec moi, au « refuge », même mariée et élevant ses petits. Quand ils ont arrêté Zoulikha dans la forêt, elle a mis son voile en un éclair, et elle s'est précipitée pour aller voir : elle fut témoin de la scène !

Puis elle a été divorcée : elle est revenue chez moi avec ses trois petits. Je l'ai redonnée en mariage, mais j'ai gardé avec moi ses enfants : le père de ceux-ci ne leur envoie rien et il n'y a plus d'hommes pour l'obliger à se conduire en homme !... Qu'ils mangent ou qu'ils restent nus, cela lui importe peu.

Or, après le jour de l'indépendance, au cours de l'été suivant, j'apprends que ceux qui ont eu leurs fils morts au maquis et leurs maisons détruites à la dynamite – exactement mon cas ! – avaient droit à être relogés en ville, que nous avions priorité sur toute maison abandonnée par les Français qui avaient préféré partir.

Je n'aime pas demander mais, à cause de ces petits sur mes bras, j'ai mis mon voile sur la tête, j'ai surmonté ma « honte » et je suis descendue pour la journée. On me dit que c'était le nommé Allal qui faisait la répartition. Justement, ce Allal, au moment de sa montée, en 56, s'était caché chez moi plus d'un mois. Si El Hadj, un vieux de la ville, m'accompagna pour me montrer la maison de Allal ; il frappa à la porte pour moi, le brave homme. Une femme répondit sans ouvrir qu'il était chez le pharmacien. « Une réunion ! » ajouta-t-elle. Mon guide hésita, puis me montra le chemin. J'entrai seule. Si Allal faisait un grand discours devant plusieurs bourgeois rassemblés là. Et moi, mon couffin à la main, mon voile plié en deux sur ma tête, mes jambes jusqu'aux genoux pleines de la poussière de la route, voici que parmi eux, je m'assois.

Avec Allal, me dis-je, qu'ai-je besoin de lui rappeler mon mari tué et mes fils morts en héros ? J'aurais pu au moins lui déclarer : Le plus jeune d'entre eux a participé à presque tous les combats, depuis nos montagnes jusqu'aux frontières de Tunisie, alors que toi, tu es resté dans les grottes et les trous !... Mais j'ai préféré tenir ma langue. Lorsqu'il s'est arrêté dans ses belles paroles, je lui ai simplement dit : « Ô Allal, je suis venue pour mon dû !... Les petits chez moi attendent un toit et ici l'on m'affirme que c'est toi qui fais la répartition ! » Il m'a interrompue vivement.

Il me répondit en arabe, et plutôt froidement : « Oui, ma mère, je monterai te voir chez toi dans les prochains jours ! »

Il ne monta pas « dans les prochains jours », mais six mois après, pour me reprocher, disait-il, de l'avoir « insulté » et d'avoir en effet claqué la porte du pharmacien devant eux tous – eux que j'appelle « les chacals », ricane-t-elle.

Après, seulement bien après, j'ai compris que lui avoir adressé la parole en berbère, spontanément, cela l'avait gêné ; j'oubliais donc tous ces citadins groupés là !

J'ai répondu à ses reproches ainsi : « J'ai

claqué la porte de tes nouveaux amis, en effet ! Et je suis remontée dans cette cabane. Celle-là, elle est de l'armée française ! L'ennemi avait jugé que cela suffisait à moi et aux trois orphelins. Eh bien, moi, je te dis aujourd'hui, ô Allal : L'ennemi a raison ! »

Le même jour, dans l'après-midi, Mina accompagne son amie chez sa sœur Hania. Elle explique, dès le seuil franchi :

– Habiba, notre amie tient à te saluer car elle a décidé de repartir à Alger dès demain.

– Nous nous étions habituées à votre présence. J'espère que nous vous reverrons plus souvent.

L'invitée, tandis que Mina installe la table basse, annonce à Hania qu'elle va, la matinée du lendemain, la consacrer à sa tante paternelle dont elle languit souvent. Elle parle aussi de son père, dont, ces derniers mois, la santé l'inquiète.

– Heureuses, intervient avec mélancolie Hania, oui, heureuses celles que, sur notre terre, nous pouvons appeler « les filles de leur père » ! Elle se tait, puis se force à dire : Vous d'abord, je le constate aujourd'hui, mais Zoulikha, ma mère aussi, doit sa première force, dans sa jeunesse, à son père ! Après tout, c'est la tradition de l'islam : avec Lalla Fatima et son père, notre Prophète qui a eu beaucoup de filles, ce sont les fils de Fatima qui furent

suppliciés et les filles de Fatima qui déroulè-
rent une parole de reproche et de révolte,
devant tous !

Mina s'est maintenant assise : elle regarde
attentivement son aînée ; celle-ci est presque
sereine, en même temps qu'enrobée d'une
mélancolie nouvelle.

– Je suis, moi, certes, la fille d'une mère
exceptionnelle... Cependant, moins chanceuse que Mina, ma petite sœur, parce qu'elle
garde, elle, un souvenir si tendre de son père,
El Hadj... Moi je n'ai pas connu mon père...
Je peux même dire qu'avant mon mariage je
n'ai pas eu vraiment de famille, sinon Zoulikha seule.

L'invitée remarque avec vivacité :

– Zoulikha, comme ma grand-mère maternelle, a eu trois maris, n'est-ce pas ? Elle était
plus jeune que Lla Fatma (ma grand-mère que
j'appelais Mamané) d'au moins vingt ans, il
me semble.

– C'est vrai, Zoulikha a vécu trois mariages ;
j'y pensais l'autre jour lorsque, pour la première fois, tu m'interrogeais avec tes assistants de la télévision. Mais je ne voulais pas
ainsi évoquer devant tous sa vie privée.

– Nous sommes entre nous, maintenant,
murmure doucement celle qui redevient,
pour une ultime fois, en ces lieux, l'écouteuse.

– Je peux te dire que, seule dans la ville, en
dehors de ta Mamané – du moins à Césarée où,
qu'on le veuille ou non, les coutumes sont plus

prégnantes, le qu'en-dira-t-on plus malveil-
lant –, Zoulikha a été, dans sa manière de
conduire sa vie, vraiment plutôt de notre génération d'aujourd'hui. La preuve ? Je t'assure
que je ne l'idéalise pas... La preuve c'est que
chacun de ses trois maris, elle l'a choisi, elle
(Hania soudain rit, presque légère), et elle les
a aimés, chacun, différemment !

Hania, sur ce, se lève ; va donner des ordres
à l'intérieur – sans doute donner congé à celle
qui l'aide dans le ménage ou, peut-être, le
jeune frère, revenu ici pour le week-end, a-t-il
eu besoin de sa sœur-mère et celle-ci l'a deviné.
Après tout, la maison, à Césarée, reste encore
domaine presque exclusif des femmes, en
somme, le gynécée. Le « maître de maison »,
qu'il soit l'époux ou le frère ou le fils adulte
(Zohra Oudai, peu auparavant, en berbère,
disait, par contraction, « ma maison » en évoquant son mari), ce maître donc, l'homme, ne
se sent vraiment maître qu'au-dehors, dans
l'espace presque ségrégué des rues, des cafés
maures, de la mosquée parfois, partout où son
individualité est multipliée par les membres
(femmes, filles et garçonnets) de la famille
qu'il est censé entretenir, donc à la fois
commander et supplanter dans la cité.

Hania, revenue à sa place, reprend la narration de ce qu'on pourrait intituler « récit
des amours » de sa mère et, sans s'en rendre

compte, elle se met à considérer Zoulikha, à son tour, presque comme sa sœur :

– A seize ans, retournée à la ferme de son père après son diplôme, elle eut son premier mari, enfin, mon père... (La conteuse s'absente soudain.) C'est étrange, elle me parla un jour, d'un trait, sur ce sujet : c'était quand elle hésitait pour monter chez les partisans, qu'elle pensait aux petits, et que finalement elle nous les confia, à moi et à mon mari !... A cette époque si troublée, elle éprouva le besoin de me parler de sa jeunesse, sans doute parce que j'avais alors l'âge de sa première décision. Ainsi, me voyant mariée – moi, comme elle, autrefois, à seize ans – et s'apercevant après quelque temps que j'avais un bon mari, un homme de confiance, elle s'abandonna avec moi dans ses paroles, dans ses pensées : je dirais, de femme à femme !

C'est ainsi qu'elle m'apprit que son premier mari, c'était elle qui avait tenu à l'épouser, et cela, malgré les conseils défavorables de son père. Leur mariage, hélas, ne dura que peu de temps, moins d'une année, je crois. Mon père avait eu une rixe avec le fils d'un colon voisin, très puissant ; celui-ci, paraît-il, l'avait traité d'agitateur... Il s'enfuit, prit le bateau pour la France, décida donc d'émigrer mais avait promis toutefois d'envoyer de ses nouvelles.

Hania s'arrête, émue : comme si elle réalisait, seulement maintenant, qu'elle a été, dès le début, orpheline de père.

– Zoulikha accoucha de moi. Elle me dit qu'elle avait attendu, plus d'une année encore, des nouvelles de l'époux émigré. Qu'ensuite elle fit le nécessaire auprès du cadi-juge pour recouvrer sa liberté. « Cela me coûta, m'avoua-t-elle. En tout cas, jamais on ne me vit pleurer ! »

A la ferme, il y avait ma grand-tante paternelle. Elle accepta de m'élever, tandis que Zoulikha décidait d'aller dans une ville voisine, Blida, pour travailler à la poste. J'ai donc grandi, moi, à la ferme et je me souviens bien, tandis que Zoulikha traversait ainsi ces lointaines années, que je ne la retrouvais que brièvement le dimanche : cela, jusqu'à mes six ans.

Hania se tait, rêve... puis sa voix s'adoucit :

– Il y eut le jour de son second mariage : ses yeux brillaient de joie. Elle me parut si belle... La seule fois d'ailleurs où elle accepta de se laisser maquiller (à l'époque, on mettait des paillettes d'or ou d'argent entre les sourcils et sur le haut des pommettes des jeunes femmes). Une mariée devait paraître semblable à une idole !

Mina, accroupie, écoute, pour une fois, tranquille : le bonheur de Zoulikha ainsi évoqué semble l'éclairer, elle qui a eu besoin de raconter, peu avant, sa déception amoureuse dont elle souffre encore.

Hania continue sur un ton presque enjoué :

– Son second mari était, paraît-il, un si bel

homme ; il était, par ailleurs, sous-officier dans l'armée française. C'était un Saharien, presque noir de teint. « Si beau », s'exclamaient les invitées au mariage, elles qui, voilées, le regardaient entrer, la nuit, dans la chambre de noces, sous les youyous. Est-ce d'avoir, même si petite, entendu les commentaires féminins, ce soir-là, que je compris que Zoulikha l'épousait parce qu'elle l'aimait ? Peut-être encore plus que mon père, même si, dans son récit pour moi, plus tard, elle ne le dit pas. Mais j'ai gardé intactes les images de cette noce.

Un détail me revient : je me souviens qu'elle me présenta aux femmes invitées (du moins, celles de la famille du marié, qui venaient de loin) comme... sa sœur ! Mais oui, la seule fois de sa vie où Zoulikha, j'en suis sûre, mentit, ce fut par coquetterie. Comme si soudain cet homme, c'était un premier mari ! Moi, même si jeune, je ne lui en ai pas voulu. Que lui a d'ailleurs réservé la vie, après ? ajoute Hania, soudain attristée.

Mina intervient, impatiente :

– Je n'ai jamais su, je m'en aperçois maintenant, comment ce second mariage se termina.

Hania reprend d'un ton calme :

– Je reviens à cette fois, lorsqu'elle se sentit contrainte de monter au maquis, et qu'elle défilait devant moi toute sa vie. Est-ce qu'elle sentait que, sur ce plan, ce serait à moi de témoigner pour elle, plus tard ? « Mon amie, ma sœur ! » me disait-elle, si souvent.

Et la voix de Hania, à cause de la tendresse de l'expression maternelle, d'un coup, chavire. Mais elle se reprend et d'un ton plus ferme :

– Je me souviens bien de ses mots, car ce fut elle, cette fois, qui quitta ce mari. Lui dont elle eut un fils, mon demi-frère El Habib qui, hélas, disparut par la suite, avant elle. Elle me dit alors : « Le père d'El Habib, je l'ai quitté parce que, après cinq ou six ans de vie conjugale, je n'étais pas d'accord. Et tu vas peut-être rire, c'est pourtant la vérité : je n'étais pas d'accord "politiquement"... » Elle a répété ce mot deux fois, et en français : « politiquement ». Elle me rappela, mais brièvement, qu'il y avait eu le 8 mai 1945, quelques mois auparavant, cette révolte du Constantinois et la répression si terrible qui avait suivi : l'armée, la flotte, les colons eux-mêmes avaient tué des milliers et des milliers de nos compatriotes les jours même de la fin de la guerre mondiale où tant des nôtres, en Italie, en Allemagne, en Alsace, avaient donné leur sang pour libérer la France ! Nous, dans cette région de la Mitidja, nous en avions tant d'échos. Et je l'entends encore, ma Zoulikha, dans son ultime récit pour moi : « On a beau faire, avait-elle ajouté, dans ce pays, il y a deux camps, et lui, ce mari qui comptait tant pour moi, s'imaginait qu'on pouvait rester au

milieu... Après le 8 mai 45 ! s'exclama-t-elle,
amère. Moi, je ne peux pas ! avait-elle insisté.
Ou je suis ici, ou je suis là ! » Elle se leva alors,
en soupirant : « C'est dommage ! » et je me
souviens qu'elle avait gardé, dans une enveloppe, la photographie de ce second mari,
dans son uniforme de sous-officier français !
Elle regarda la photo sans rien ajouter. Je sus
plus tard que son fils, mon demi-frère, la lui
avait donnée quand, sur son exemple à elle, il
se mit à travailler pour les partisans... Si jeune
alors : vingt ans, ou un peu plus, seulement
avait-il lors de son arrestation !

L'invitée ne demande pas où est allé
combattre ce second mari, lorsque la guerre
d'indépendance a commencé. Peut-être, après
tout, l'a-t-on envoyé en poste au Sahara, resté
encore calme, ou qui sait – pour lui épargner
la tentation de se solidariser avec ses frères –,
l'a-t-on déplacé en Allemagne où l'armée française occupait le pays, avec les Alliés.
  – Zoulikha alors reprit son travail à la poste
plutôt que de retourner à la ferme. Le garçon
resté à la garde du père, elle me fit venir
à Hadjout où je suivis, comme elle, l'école
communale française. J'étais décidément
vraiment comme sa sœur ! Quand elle rencontra El Hadj, si différent de ses deux précédents maris et un peu plus jeune qu'elle, lui
qui parlait arabe et berbère et seulement quelques mots de français, elle se remaria. Je la

suivis dans cette maison où nous nous trouvons. Je me souviens surtout de certaines
soirées familiales : El Hadj lui apportait les
journaux français et elle lui en faisait la lec-
ture. Ils commentaient ensemble ce qui avait
trait naturellement à l'état du pays.

– Je me souviens, moi aussi, de quelques-
unes de ces soirées, intervient Mina, d'une
voix apaisée. Puis elle ajoute : Tu as raison,
Habiba, ma mère a aimé chacun de ses trois
maris, et chacun, sans doute, différemment.

Elle se lève et, de la porte, conclut d'une
voix vibrante :

– Sauf que mon père ne l'aurait pas quittée,
elle ! C'est la mort qui l'a pris en premier !

9

La dernière nuit que Zoulikha passa à Césarée...

Le lendemain matin, Mina paraît heureuse d'accompagner en voiture la visiteuse jusqu'à Alger ; elles gardent silence, au début du voyage. Laquelle des deux réécoute pourtant en elle-même, les péripéties que Dame Lionne a, la veille, évoquées ?

Voix de Dame Lionne

Zoulikha vint un jour frapper à ma porte, avec Hania, sa fille aînée. Moi, je ne savais pas alors que, depuis quelques jours au moins, Zoulikha ne demeurait plus chez elle, mais s'abritait tantôt ici, tantôt là. Je vis aussitôt que son visage était changé ! Je fis entrer les deux femmes dans une pièce au fond.

J'avoue, je faisais encore alors, avec mes cartes espagnoles, des « réussites » à deux clientes de passage ; celles-ci parties, je revins

à Zoulikha avec sa grande fille. Je me souviens : c'était le ramadhan. Zoulikha me dit :

– La situation est grave... J'avoue, je ne
trouve pas la maison où je pourrais entrer.

Je lui rétorquai aussitôt :

– Cette maison que tu cherches, il est bien
clair que c'est la mienne. Et pour vous assurer
toutes deux de ma foi, allons ensemble chez
le notaire : je l'écrirai en donation pour toi,
Zoulikha. Elle est tienne !

Je dis ces paroles du fond de mon cœur. Elle
me remercia et ajouta :

– Acceptes-tu, lorsque je viens ici, que
d'autres personnes y viennent pour me voir ?

– Ce que tu veux faire ici, fais-le !

Elle repartit ce jour-là, rassurée.

Quelques jours passèrent ; elle revint seule,
et me dit aussitôt :

– Pourrais-tu appeler Fatima Amich pour
moi ? Est-ce que tu veux bien ?

Je dis oui et j'allai jusqu'à la maison de
Fatima Amich, sa voisine, que je lui ramenai.

Zoulikha me dit alors :

– Est-ce que tu acceptes qu'Assia, la fille des
Benyoucef, vienne aussi ?

– Qui tu veux amener ici, amène-le !
répondis-je.

Elle donna ensuite une série d'indications
à Fatima Amich, où elle devait aller. Moi
j'ai préféré les laisser seules, pour qu'elles
puissent parler librement. Fatima partit ; elle

revint peu après, cette fois accompagnée d'Assia. Toutes les deux, naturellement, étaient voilées : on ne les reconnaissait pas et j'avais l'habitude de recevoir tant de clientes pour leur lire l'avenir !

Pendant ce temps, je savais néanmoins que les contrôles des maisons par l'armée ou la police augmentaient. J'avais quelques économies en argent liquide ; dans un coin de la petite pièce qui me sert de cuisine, j'avais creusé un trou dans le sol où je les cachais. Lorsque je vis, aux autres visites qui suivirent, que Fatima et Assia rapportaient la collecte à Zoulikha, je sortis devant elles trois mon argent.

Je pris cinq mille francs pour les leur donner comme ma cotisation. Zoulikha refusa :

– De toi, nous ne prendrons rien ! Laisse-nous encore ta porte ouverte, c'est bien plus qu'un don d'argent.

– Ma porte est la vôtre, leur répétai-je, et j'insistai pour que mon argent soit comme celui des autres.

Je me souviens que, ce même jour, tandis que Fatima Amich allait acheter ce que Zoulikha devait faire parvenir ensuite là-haut, Zoulikha, seule avec moi, m'avoua, gênée :

– Vois-tu, c'est carême et je jeûne. Pourtant je ne me sens pas bien, parce que je me trouve sale.

Aussitôt je mis à chauffer des bassines

d'eau. Elle se déshabilla ; Fatima qui revint l'aida à se laver. Moi, je vis bien que ses habits étaient tristes à voir. Je lui en donnai à moi : nous sommes presque de la même taille.

Elle se changea, contente. Elle me dit :

– Quand je serai là-haut, je te renverrai tes habits !

– Attention à toi, lui répliquai-je, je me fâcherais ! Ne me les rends surtout pas.

Elle savait bien cependant que j'ai le cœur facile à rassasier... Mais Dieu seul le sait, pas toujours les êtres !

Ainsi, Zoulikha commença son travail secret dans la ville. Au début, elle vint une fois par mois, pour les contacts avec Fatima et Assia. Celles-ci allaient partout, dans les maisons riches comme chez les plus modestes, et même dans les écoles !... A chaque fois, elles revenaient chez moi avec leur récolte, et moi j'emmagasinais. Puis les visites de Zoulikha se firent une fois par semaine environ. (Silence... Dame Lionne rêvait, se remémorait, soupirait parfois.)

– Bien sûr, mes petites, je suis là à vous reconstituer ce travail de fourmis ; cela ne veut pas dire que ce fut toujours facile. Même celles qui s'impliquaient ainsi, il leur arrivait soudain d'avoir peur !...

Une fois, Fatima Amich, pourtant la voisine de Zoulikha, celle à laquelle celle-ci avait pensé la première, parce que Fatima était vive, qu'elle avait le contact... facile, eh bien Fatima elle-même, un après-midi, vint me dire ceci, qu'elle avait dû mûrir toute la nuit et le matin :

– Zoulikha va et vient entre la montagne et la ville. Parfois, toujours déguisée en campagnarde, elle se cache chez sa belle-sœur, Zohra Oudai. Bien... J'ai su, au hammam, que son beau-père, très vieux, mais avec toute sa tête – le père d'El Hadj –, n'est pas content : il ne veut pas qu'elle descende ainsi en ville si souvent. Alors si lui, de sa famille, a peur, pourquoi, moi, je n'aurais pas peur ?

Je dus la rassurer : « La discrétion avant tout t'est demandée ! Et ce vieux beau-père ne sait pas tout. Il ne sait pas que l'Organisation, là-haut, veille sur elle... » Une autre de ces dames, je l'appellerai Kheira – je ne dirai pas son nom de famille, car, c'est vrai, elle venait me voir comme cliente –, elle aussi émit des craintes :

– Cette femme qui va et vient entre la ville et la montagne, elle sera notre ruine ! Elle finira par faire couvrir notre cité de chaînes ! Que croyez-vous donc, vous toutes dans vos demeures, la France va-t-elle rester encore aveugle et sourde, quant à vos tractations ?

Cette dame, en s'excitant ainsi, était jaunie par la peur. Je lui répondis vigoureusement :

– Alors que cela se passe chez moi, moi, en tout cas, je n'ai pas peur !

Mais que voulez-vous, il fallait bien calmer et raisonner ces mères de famille.

– Vous le voyez, leur dis-je en réunissant deux ou trois d'entre elles, Zoulikha descend habillée en paysanne ; ses papiers sont en ordre : ceux d'une paysanne comme toutes celles qui vont au marché pour vendre leurs herbes et leurs œufs frais. Elle, des hommes la gardent : quand elle arrive chez moi, ils font le guet, à tour de rôle, du côté du hammam. Tant d'autres précautions sont prises tandis qu'elle ressort, un jeune adolescent portant devant elle le panier. Cependant, ai-je conclu, avec toutes ces précautions, si Dieu le Tout-Puissant nous destine quelques épreuves, eh bien, nous aurons à les traverser, d'une façon ou d'une autre. C'est tout ! Remettons-nous à Lui ; il s'agit de notre devoir.

Or, tous ces premiers mois, il n'y eut aucune épreuve particulière... Ce réseau de femmes fonctionnait presque normalement.

Tandis que Mina, à mi-parcours du retour à Alger, conduit en silence, son amie qu'on peut supposer somnolente, mais en réalité habitée entièrement par les derniers récits de la veille, qu'elle a elle-même sollicités, chez Dame Lionne – cette « voix de Dame Lionne » s'est arrêtée en elle, comme si, en vérité, l'éloignement, après une demi-heure de route loin de Césarée agissait pour diluer peu à peu, la vitesse de la voiture y ayant sa part, ces voix persistantes et mouvantes de la mémoire...

Et pourtant, songe la quêteuse, se demandant pourquoi elle a manifesté cette hâte à partir, à revenir et pourquoi à Alger (en fait, la seule question serait : où vraiment revenir ?), la veille, Dame Lionne a continué sur sa lancée : elle, elle désirait revivre vraiment une journée où Zoulikha s'était trouvée empêchée de sortir, le soir, hors de l'enceinte gardée de Césarée ; soudain, dans la ville livrée aux contrôles habituels, pas de maison pour Zoulikha où elle pût dormir sans danger !

– Mina, toi qui sais tout sur l'odyssée de ta mère, j'ai besoin, à partir du dernier récit de Dame Lionne, de faire défiler les péripéties, au moins dans la manière si précise, et parfois si détaillée, de Lla Lbia ! Peux-tu m'aider ?

– Bien sûr, je peux essayer, répond doucement Mina, se demandant à son tour, puisque cette femme reste ainsi habitée par l'histoire de Zoulikha, pourquoi, dès lors, sa hâte soudaine à repartir ? En fait, cette nuit-là – Mina hésite –, je remarque maintenant que ce fut la dernière que ma mère passa dans sa ville !

Mina trouve un plaisir inattendu et intense à ce que des événements auxquels plus personne ne pensait (excepté, pense-t-elle, Dame Lionne quand on la sollicite, moi naturellement, et désormais cette étrangère !), à deux,

en tout cas, elles vont en prolonger l'écho.
Elle ressent comme une fébrilité, mais aussi
la sensation aiguë et étrange que Dame
Lionne, dont le métier autrefois était de pressentir – de sentir, de voir parfois, ou, à défaut,
d'inventer, de créer de toutes pièces – l'avenir,
Dame Lionne n'a pas son pareil pour, au
contraire, désormais faire revivre le passé ! Le
menu et concret passé de ces femmes, la plupart invisibles aux autres, au monde.

Et Mina se rappelle la nuit où les trois fils
Saadoun ont été assassinés, cette nuit qu'elle
croit avoir vécue, à travers la voix, et presque
le corps, corps mobile et sans peur de Dame
Lionne, toutes les dames de la ville formant,
pour ainsi dire, un chœur, tantôt tumultueux
et tantôt lointain, autour de Lla Lbia, cette
nuit-là où celle-ci, la laveuse des morts, elle
qui, pour cela peut-être (est-ce l'effet analgé-
sique de l'eau à verser, dernière caresse à
imprimer aux corps jeunes et suppliciés, béné-
fice de la liturgie et des prières nécessaires ?),
garde mémoire non pas des faits mais du
rythme lui-même, une danse esquissée entre
courage et désolation des uns, peur tremblée,
prudence ou lâcheté de quelques autres, elle
seule, Dame Lionne... Elle revoit les épisodes
de cette histoire de la ville chaque matin, c'est
vrai, dans ce qu'elle appelle ses « méditations »
d'avant la prière : elle revit ce temps dans sa
minutie, sa musique, sa durée réelle et des
deux côtés : à partir des patios, tandis que les

femmes attendaient, surveillaient, avaient
peur ou soudain s'échappaient et, parfois, elle
voit ce temps de la ville du côté des rues, des
places, des marchés avec les ombres figées
– presque toutes, cette fois, masculines –,
témoins oublieux que la visiteuse, revenue
si tard dans sa ville d'enfance, accuse d'être
gagnés tous par la torpeur !

Dame Lionne, elle, ne reproche rien à
personne : elle enjambe les temps, elle est
mémoire pure.

Mon rêve, songe Mina, tout en conduisant,
serait au fond de rester comme une fillette
accroupie aux genoux de cette Dame pour
l'entendre, l'entendre et rêver, quand l'envie la
prend de revivre... L'autre fois, pour la nuit
des Saadoun, il a suffi, je me le rappelle, que
se déclenche le chant de tristesse de la jeune
voisine presque aveugle.

– Ainsi, reprend son amie à côté d'elle,
nouvelle narratrice dans l'ombre de la voix de
Lla Lbia, cette dernière nuit de Zoulikha à
Césarée, comme elle a été mouvementée ! On
pourrait, ajoute-t-elle, craignant soudain que
Mina, rivée au volant à ses côtés, ne désire,
comme les autres fois chez Hania, s'éclipser
par suite de trop d'émotion, pourrais-je,
répète-t-elle, revenir à ce dernier récit de Lla
Lbia et le faire défiler comme un scénario
court, rapide, intense ? Tu le permets ?

– Certainement, répond Mina avec calme,

les yeux droit devant elle pour surveiller la route, si fréquentée à ces endroits.

– Donc, je commence : une fin presque d'après-midi, la scène démarre chez Dame Lionne qui a cousu six drapeaux, drapeaux qui seront ceux de l'Algérie indépendante, nous sommes courant 57 (encore quatre à cinq ans de guerre !).

– Cousus, puis pliés et placés tout au fond du couffin ! précise Mina, avec un sourire attendri à la pensée de Dame Lionne et de ses drapeaux.

– Zoulikha, en paysanne, se trouve là, dans ce coin de cuisine de Lla Lbia qui y dissimule, dans des trous, ce qui attend d'être monté là-haut : argent, médicaments et...

– Et, pour une fois, les six drapeaux cousus par Lla Lbia en personne !

– Zoulikha, semble-t-il, s'amusa de ce détail et s'exclama, je pense, avec tendresse : « Comme Lla Lbia sait cacher tant de trésors ! Là-dessus, les médicaments sont tassés, puis, par-dessus, les légumes sont disposés en gros tas divers. Ceux que la paysanne n'a pas réussi à vendre au marché !

– Un autre détail (il semble que Mina s'amuse vraiment à cette évocation, comme une enfant), Dame Lionne a précisé que, cette fois, à côté des légumes, elle avait ajouté des pains à la cannelle, tout frais et presque chauds ! (Elle rit, Mina.) C'était parfois, je suppose, ce qu'elle aimait envoyer là-bas comme une sorte de friandise, d'attention particulière pour « nos héros », disait-elle avec coquetterie.

– Ensuite, poursuit la narratrice, je vois ce film se dérouler presque en muet : au fur et à mesure qu'approche le suspense. Je récapitule donc : tandis que la paysanne vieillie, un voile grossier de laine salie sur la tête et les épaules, s'éloigne du théâtre romain, son guide, qui, du coin de la rue du hammam, guettait sa sortie, la laisse passer devant lui, chargée de son lourd couffin. Elle s'avance d'un pas vif en direction de la porte principale est de la ville ; dans un tournant cependant, près d'un fossé, la paysanne s'arrête, comme épuisée : le couffin est trop lourd. Le jeune paysan, son guide, la suit de près ; à son niveau, il fléchit le genou, juste le temps de contrôler que le sentier est vide de passants et de s'emparer, lui, du couffin. Il va en avant, devance la paysanne qui ne garde alors qu'une corbeille d'œufs légère. Les risques, à l'instant du contrôle au passage de la porte, sont pour lui ; ses papiers sont en règle. Quatre ou cinq pas derrière lui, la paysanne est là, avec également des papiers en règle.

– Ainsi, à chaque fois, dix ou vingt fois peut-être, la sortie de la ville avait lieu, pour ma mère, sans histoire ! C'est vrai, il y a le bruit de la rue, des soldats, mais pas de paroles entre les personnages ! Chacun d'eux a le cœur qui bat quelques minutes, au passage de cette porte.

Mina rêve un moment : la fameuse enceinte qui cernait Césarée, et qui datait justement de la prise de la ville par l'armée française en 1841, a été détruite à l'indépendance.

– Mais cette porte où est passée si souvent ma mère, transformée en paysanne au cœur palpitant, est encore là dressée. Moi, je l'appelle toujours : ma porte Zoulikha.

– Ce soir-là, poursuit la narratrice, ce sont des soldats sénégalais qui sont chargés du contrôle. Zoulikha, en arrière, voit la scène : son guide, sans ménagements, son couffin enlevé mais pas fouillé, est poussé vers un groupe d'une dizaine d'autres jeunes – campagnards et citadins. Tous sont traînés vers une baraque non loin, et enfermés ! Des ordres, des cris, un appel : un brouhaha dont Zoulikha ne perçoit que les sons.

– Elle recule. Son jeune garde arrêté, et avec ce couffin ! Il ne reste qu'une heure, ou un peu plus, pour que les portes soient fermées, à l'est et à l'ouest, et que la ville soit bouclée.

– Puis-je continuer ? demande la conteuse, précautionneusement.

– Je suis comme les enfants, remarque Mina, surprise d'elle-même, je m'aperçois que le plaisir est plus grand d'écouter une histoire dont on sait pourtant tout à l'avance !

Sur ce, son amie a cette pensée brusque, qu'elle gardera pour elle seule : « L'histoire, contée la première fois, c'est pour la curiosité, les autres fois, c'est pour... pour la délivrance ! » Et elle continue :

– Ces jours exceptionnels de la descente en ville de Zoulikha, Dame Lionne ne quitte pas son seuil. Son fils adoptif est également sur la brèche. Il est convenu qu'un autre des gardes de Zoulikha a pour simple mission de prévenir le fils, puis, à travers lui, Lla Lbia que « tout est tranquille », c'est-à-dire que Zoulikha a passé sans problèmes le contrôle. Alors, rassurée, Dame Lionne suit le cours de sa soirée habituelle : sa prière, son dîner, sa méditation du soir.

Or, ce jour-là, c'est malheureusement la paysanne, sans son couffin, qui revient. Zoulikha raconte ce qu'elle a vu de loin : elle se fait du souci pour le couffin, et pour une fois, hélas, les drapeaux nationalistes pliés au fond ne permettent nul mensonge. Le jeune homme va être torturé. Les fouilles, cette nuit, vont augmenter. « Il me faut trouver une maison pour la nuit ! »

Hania, la fille aînée, qui se trouvait alors à Césarée, avec sa sœur et son frère, et que Lla Lbia fait aussitôt prévenir, arrive, le voile sur la tête. Elle étreint sa mère ; elle perd confiance et se met à pleurer.

Mina interrompt le récit avec vivacité :

– Laisse-moi continuer : j'ai entendu raconter cette scène tant et tant de fois, dans la version de ma sœur, bien avant la version de Lla Lbia. Je l'imagine moi aussi et j'aime cet instant – peut-être parce que, ordinairement, Hania, ma sœur, me paraît souvent presque aussi forte que ma mère. Or, cette fois, elle a perdu courage ; quand elle la raconte, c'est bizarre, elle n'en a pas honte et je l'aime vraiment ainsi, dans sa peur.

Sur quoi, Mina gare sur un terre-plein la voiture, arrête le moteur et, les yeux brillants, plonge totalement dans la suite des événements :

– Hania, donc, pleure en se tordant les mains : que va-t-il arriver, cette nuit, à sa mère ? C'est l'époque où un recensement, pour chaque nuit, des maisons des quartiers arabes se faisait strictement : les soldats vérifiaient maison après maison l'identité des gens de la famille tous rentrés avant le couvre-feu : ils mettaient alors une marque rouge pour la nuit. Hania pense à tout cela en une seconde : quelle famille, amie ou même engagée politiquement, va accepter ce risque de se charger de Zoulikha, même pour une nuit, elle dont le signalement est partout répandu ? Mais Dame Lionne prend dans ses bras Hania et la calme, la console, presque en riant, dit-on. « Zoulikha dormira ici, ma maison est sa maison, quoi qu'il arrive ! Si nous vivons, nous vivrons tous ! Si nous devons mourir, nous mourrons tous ! » Mais ma mère a refusé en expliquant : « Ta maison n'a pas encore été contrôlée : je ne peux pas

accepter ; toi et ton fils, il faut que vous conti-
nuiez à travailler si bien pour la cause ! » Puis
elle a ajouté, presque résolue : « Dans ce cas,
s'il n'y a pas de solution, je préfère aller
dormir chez moi, parmi mes enfants ! Ils
m'arrêteront, mais ils ne peuvent rien faire à
mes petits ! »

La visiteuse reprend alors, en alternance, la
relation de ces angoisses et de cette quête d'un
logis :

– Voici Dame Lionne qui se transforme
en messagère. Elle dit à Zoulikha, à sa fille
Hania, de ne pas bouger de chez elle. Elle
connaît, parmi les familles de la ville, celles
qui sont vraiment nationalistes. Elle a
commencé à animer elle-même une sorte de
cellule politique de quelques dames résolues
à aider. Certaines ont déjà été en contact, ces
derniers temps, avec Zoulikha paysanne.

Lla Lbia va d'abord chez l'une des plus
actives ; sa maison a dû déjà être contrôlée :
Aouicha. Elle ouvre la porte presque gaiement
à Lla Lbia : elle croit que celle-ci vient lui
annoncer, même si tard, une réunion de
leur comité pour le lendemain. Elle doit
commencer à aimer toutes ces paroles, cet
enthousiasme ; cela a dû la changer de son
oisiveté ! Mais, dès qu'elle apprend la situation où se trouve Zoulikha, bien que, dans
cette rue, toutes les belles maisons des bourgeois aient déjà leur marque rouge, elle prend
peur. Dame Lionne a simplement murmuré :

« Celle que tu sais... doit passer la nuit quelque part, et ma maison n'a pas encore été recensée ! » La dame fait non, très vite non et seulement de la tête, puis ferme la porte aussitôt. Bien sûr, ajoute en commentaire la narratrice, on peut lui trouver des circonstances atténuantes : peut-être n'a-t-elle rien dit à son auguste époux de son engagement à elle ! Mais ils sont une famille aisée : elle aurait pu faire rentrer Zoulikha paysanne dans un cagibi, dans une remise, sans même que les hommes de la famille le sachent. Même après, elle aurait pu jouer la comédie : C'est une pauvre femme, une paysanne errante, une mendiante. Elle l'aurait fait rentrer juste pour lui donner à dîner, par charité islamique et, finalement, elle lui aurait mis une peau de mouton dans un coin, pour qu'elle soit tranquille, une nuit ; elle serait partie le lendemain à la première aube !...

Voilà pour la première dame qui refuse : j'ai voulu imaginer tous ces remords et l'excuser presque tandis qu'elle claque la porte devant Dame Lionne et que, le dos collé à la lourde porte, elle tente de calmer son effroi, de retrouver respiration normale, de voiler peut-être sa honte qui se lève, après son effroi.

– J'en viens, moi, reprend à son tour Mina, au volant, si tu permets, à la seconde dame sollicitée ! Là, ma sœur me racontait l'incident, presque théâtralement, même quand j'avais quinze ans, à l'indépendance : lorsque toutes ces familles seront les premières à fêter ostensiblement la victoire, et que leurs hommes, fils et maris, seront les plus prolixes dans les discours officiels !

Donc, Dame Lbia, une fois dans la rue, redoutant le moment où approche la nuit dangereuse, va précipitamment frapper à une seconde porte. Un garçonnet ouvre à Lla Lbia. « Va appeler ta mère, seulement ta mère ! et tu lui dis que c'est moi ! » La dame descend de son premier étage aux belles terrasses. « N'allume pas ton vestibule, lui murmure doucement Dame Lionne. – Et elle reprend la même formule : Celle que tu sais n'a pas où aller cette nuit ! Vous avez été contrôlés. Moi, non ! »

La dame ne laissa même pas l'arrivante continuer. Elle fit non, en silence, distinctement et vigoureusement, de la tête. Puis elle eut besoin de justifier sa si prompte décision par un proverbe. Sophistiquée certes, parce que, en fait vaniteuse, fière de sa langue, de sa culture arabe, de son ancêtre andalou..., elle trouva aussitôt le proverbe qui lui parut adéquat. Elle déclama donc, là, dans ce vestibule obscur et malgré l'urgence de la situation :

> *Qui a honte de ce qui lui fait mal,*
> *C'est bien là, la preuve que ce mal*
> *lui vient... du Diable !*

Sais-tu, commente Mina avec vivacité, ce proverbe, je le connais en arabe (*yalli yestehyi*

bi ma dharrou/ ma dharrou Chittan ghir hou).
En effet, Lla Lbia revenant chez elle, après ces
deux refus, qu'elle dut annoncer, répéta le proverbe de la dame cultivée. Cela, paraît-il,
excita soudain la curiosité de Zoulikha. Je
rappelle que ma mère, contrairement à mon
père, était bonne en français, mais pas tellement en arabe des lettrés. Dame Lionne
énonça lentement le proverbe en arabe,
Hania, ma sœur, le lui traduisit en français et,
malgré les circonstances, voici ma mère qui
sort son crayon, un bout de papier et qui se
met à le noter... pour plus tard !

Ce moment inouï, vois-tu, comment ne
puis-je pas être fière de cette femme ? Tous,
en cet instant, ont peur et voilà qu'elle, elle
s'applique à apprendre un proverbe arabe
qu'elle ne connaissait pas ! Bien sûr, intérieu-
rement, cela lui permet, pour plus tard,
d'analyser cette hypocrisie de ceux qui se
croient un peu plus savants que les autres.
Mais elle note la formule, en français puis en
arabe, n'est-ce pas ? Comme toujours, en
arabe, avec les jeux des allitérations, si fré-
quentes dans cette langue, et le fait que cela
rime, le proverbe se retient plus vite ; il
semble en outre plus subtil ! Je pense que
Zoulikha l'a écrit pour l'apprendre par cœur,
et mieux y réfléchir... je veux dire, quant aux
parades que cherche à s'assurer l'hypocrisie
humaine.

— Alors, reprend sa compagne, sans doute

grâce à cet entracte, Dame Lionne (toujours elle, avec son sang-froid) se rappelle, mais vraiment à bon escient, qu'il y a un jeune homme qui pourrait sauver la situation. Elle se met d'abord à convoquer son fils Ali par un garçonnet de la rue. Son fils arrive en hâte. Elle lui explique : « J'ai absolument besoin de voir ton camarade, Omar, pourvu qu'il soit revenu de la pêche ! Tu le prends en tête à tête et tu lui dis ceci : Ma mère t'appelle pour que tu viennes sur-le-champ voir notre drapeau ! Cela, c'était pour exciter son envie, a expliqué Dame Lionne qui connaissait bien ce Omar. Les deux jeunes gens arrivent peu après, « légers comme des pur-sang » – ces derniers mots, précise la conteuse, sont une expression du récit même de Lla Lbia.

Elle les fait entrer tous deux dans une pièce à part. Il paraît que, pendant ce temps, sont arrivées deux ou trois bourgeoises militantes, pour se renseigner à propos de Zoulikha. Elles entourent certes celle-ci dans l'autre pièce, mais, paraît-il, elles paraissent toutes tremblantes. Le contrôle n'est pas encore passé chez elles ; elles ne peuvent rien, sauf réconforter mais, c'est sûr, elles voient déjà Zoulikha arrêtée et elles, à sa suite, traînées en prison ! Lla Lbia, en les évoquant hier, disait qu'elle les regardait sans dire un mot car, expliquait-elle, « devant elles et leur effroi, je sentais mon cœur dur comme une pierre ! ».

Dans l'autre pièce, l'attend ce jeune Omar.

Elle lui déploie lentement le septième drapeau qu'elle avait cousu en plus, et qu'elle
gardait pour protéger sa maison ! Omar n'a
jamais vu, de ses yeux, ce drapeau pour
lequel, lui dit-elle, tant de nos hommes
meurent dans nos montagnes ! Quelquefois,
quand on le peut, ajoute-t-elle (mais elle
avouera ensuite qu'elle l'avait seulement imaginé, et qu'elle présentait pourtant cela
comme une certitude, Dieu me le pardon-
nera ! pense-t-elle), et pour ceux qui tombent
au champ de bataille, on enveloppe les corps
de ces braves dans ce drapeau ! Cela les dis-
pense de toutes les autres obligations reli-
gieuses de l'inhumation ! Omar, tout ému,
embrasse le drapeau en silence. Il se tourne
vers Ali et s'exclame : « Ainsi, vous avez chez
vous toute une organisation ! »

Gravement, Dame Lionne lui annonça :
« Omar, j'ai besoin de toi aujourd'hui pour te
confier un dépôt plus précieux pour moi que
moi-même ! » Il répondit avec flamme :
« Donne-le-moi ! Je le garderai précieuse-
ment ! » Il crut un moment qu'il s'agissait de
papiers importants, ou d'une somme d'argent
ou... Elle précisa aussitôt : « Il s'agit d'une
femme à abriter pour une nuit ! »

Dame Lionne alla chercher Zoulikha qui
était dans l'autre pièce. Les dames de la ville,
en la voyant faire, se mirent à se lamenter :
« Voilà que Lla Lbia s'adresse à un simple
berger pour qu'il précipite toute la ville, cette

nuit, à sa perte ! » Dame Lionne, les enten-
dant, ne répondit rien. En silence, Zoulikha
suivit son hôtesse.

« Je connais, comme si c'était mon fils, ce
jeune homme ! Son cœur est blanc ! » Elle
présenta Zoulikha à Omar. Zoulikha le salua.

« Sais-tu qui est cette femme, ô Omar ? lui
demanda-t-elle.

– Non, je ne la reconnais pas !

– C'est la veuve d'El Hadj Oudai, mort en
martyr !

Zoulikha est recherchée : est-ce que tu peux
l'abriter cette nuit, chez vous ?

– Avec joie, répondit-il, encore ému. Nous
serons honorés par sa présence ! Attends seulement que j'aille prévenir ma mère. »

Dame Lionne s'était rappelé que lui et sa mère
demeuraient du côté de la plage de Tizirine. Elle
savait aussi que, dans le petit immeuble où ils
habitaient, ceux-ci avaient comme voisin un
capitaine français assez connu. Pour cela, ils
ne risquaient pas de contrôle nocturne dans
leurs appartements. Il partit, en promettant de
revenir avant une heure.

L'hôtesse, enfin soulagée, voulut prouver
aux dames présentes qu'elle n'oubliait pas les
usages. Elle se mit au plus vite à préparer un
grand plat de macaronis, avec des œufs durs,
des petits pois frais et beaucoup de beurre.
Elle mit, un quart d'heure après, le grand plat
sur la table basse et toutes de se rassembler
comme pour une fête.

Omar revint plus tôt que prévu. Zoulikha mit son voile de paysanne pour sortir. Avec précipitation, Dame Lionne mit le sien pour accompagner Zoulikha et laisser Hania s'occuper des dames. Mais Zoulikha jura, au nom du Prophète et de Lalla Khadidja son épouse, que Lla Lbia n'avait pas à sortir, qu'elle devait avant tout prendre du repos. Ali les accompagna une partie du trajet, à vélo. Il revint assez vite rassurer sa mère et les autres.

– La conclusion de cette journée si mouvementée, bien sûr, intervient allégrement Mina, je la connais. Si seulement l'histoire de ma mère avait pu s'arrêter là !... (Elle rêve, refuse de s'attrister.) Ma mère, cette nuit, la passa en toute sécurité dans cette famille. Grâce au voisinage de ce capitaine français, qu'ils aimaient d'ailleurs, ils ne craignaient aucun contrôle. Le lendemain matin, voici ma mère, toujours en paysanne déguisée, revenant chez Dame Lionne, car elle s'inquiétait vraiment pour son guide de la veille. Or, même sur ce point, l'issue fut heureuse : les Sénégalais, affectés au contrôle de la porte, avaient arrêté le garde, ainsi que la dizaine de jeunes qui s'étaient présentés. Ils ne les avaient même pas fouillés : ils avaient décidé de les réquisitionner pour du travail forcé, toute la fin d'après-midi et tard dans la nuit ; ils les utilisèrent en effet pour transformer une petite ferme de colon désaffectée en poste militaire ! Le lendemain matin, ils les libérèrent et, fait presque incroyable, ils ne pensèrent même pas à fouiller le couffin si compromettant du garde de Zoulikha. Celui-ci reprit le contact avec Ali, le fils de Dame Lionne, et la sortie de la ville par Zoulikha se fit en pleine journée, sans incident.

10

Troisième monologue de Zoulikha

A la ferme, chez mon père, le jour où je quittai l'école (l'école française, bien sûr !), mon père donc était si fier de répéter partout : « La première Arabe, ma fille, à avoir eu son certificat d'études dans la région, peut-être même dans tout le département ! » Ce jour-là, je me souviens, je sautillais sur le sentier et je remontais la colline. Il faisait si beau, je revois la lumière de cette fin de journée de juin.

Au village, mon père avait gardé mon livre de prix pour le montrer aux boutiquiers kabyles, ses amis. Moi, je portais des souliers neufs, j'avais treize ans et demi ; j'en paraissais peut-être seize. Soudain, un paysan, la bêche sur l'épaule et un large chapeau de paille sur sa coiffe blanche, passa en sens inverse, et presque me frôla. Ses yeux insolents posés sur moi, il me fixa nettement, sans s'arrêter, peut-être en ralentissant, puis, crachant ostensiblement sur le côté de la route, il murmura entre ses dents :

– La fille Chaieb déguisée en Roumia !

En s'éloignant, il cracha de nouveau. Et, pour manifester davantage son mépris, il changea de côté pour poursuivre son chemin. Car moi, devant l'insulte si brusque, je m'étais arrêtée net. Figée, je crois, étais-je, mais aussi, par esprit de contradiction, je me sentis presque heureuse : je me dis, une seconde, que c'était vrai, j'étais « déguisée », mais à force de narguer les colons et leurs femmes, à force de faire la fière avec leurs filles, à force d'insulter leurs garçons quand ils tâchaient d'approcher de moi, croyant peut-être me faire honneur, j'avais oublié l'essentiel. Face aux miens, aux paysans dits « indigènes », à leurs femmes terrées dans leurs cabanes, à leurs filles qu'ils n'envoyaient pas à l'école, moi, par chance, je paraissais « déguisée » !

Je repris, seule, ma route, et sautillant dans mes souliers neufs :

« Déguisée !... Déguisée !... »

Tu vois, ma fille, ma toute petite, ce fut ma première joie : non pas le défi contre les autres que je narguais – le défi donne plutôt comme une ivresse. Non, ce fut une joie dure, une vibration de tout mon corps, de mes muscles, de mes mollets qui sortaient nus sous la jupe à carreaux plissée (je me rappelle encore avec quelle vanité je portais ma première jupe « écossaise » !). Je sautillais donc, en vérité fillette trop tôt grandie ou jeune fille, je ne savais plus, j'arrivai ainsi au sommet de la colline, à l'endroit où le panorama sur toute la Mitidja était le plus large (un endroit où, chaque matin, ordinairement, en allant ainsi à pied à l'école, j'aimais respirer, troublée déjà par la beauté de nos campagnes).

La ferme de mon père se blottissait dans un creux, au centre d'une orangeraie que, avec fierté, il savait si bien soigner. Le seul Arabe, dans cette région, à avoir conservé ses orangers et presque toute la terre de ses ancêtres, autour !

« Déguisée en chrétienne », ainsi, le paysan – avec son allure fière mais peut-être, après tout, était-il simple vagabond des routes – avait cru m'insulter, lui qui devait connaître sans doute mon père et que je ne revis plus jamais. Moi, ce jour-là, je me sentis comme couronnée ! Ai-je d'emblée vraiment compris pourquoi ?

Mon soliloque à présent, au-dessus de la ville, moi qui te cherche, qui tâtonne en bouffées de poussée insidieuse vers toi et ton sommeil, mon soliloque tant d'années après – cadavre effiloché dans l'espace au-dessus des flots, sans avoir jamais pué – devient un chant presque glorieux, à cause de ce soudain souvenir de préadolescence. A l'âge que tu as presque, au moment de la stupéfaction silencieuse qui te saisit, à la nouvelle de ma disparition...

Je voudrais pareillement te dire combien, dans la première ville un peu lointaine où je décidai d'aller travailler – « la ville des roses », la surnommait-on –, mon corps me paraissait léger tandis que je me hasardais dans ses ruelles, et jusqu'à la poste centrale, de style presque rococo.

J'avais laissé mon premier bébé à élever parmi les femmes de ma famille paternelle ; même divorcée, ma décision ainsi prise de m'aventurer, libre, dans l'espace des maîtres d'alors, je me suis sentie, à un peu plus de vingt ans, à la fois neuve et, tout de même, déjà endurcie par cet orgueil qui m'enveloppait, me rendait, en fait, plus invisible que le voile traditionnel – que ce fût celui des paysannes de ma plaine ou de cette Césarée, plutôt sévère dans ses mœurs.

Je résolus d'aller travailler à la poste et de vivre seule, mon père exigeant de moi que je revienne chaque fin de semaine par le car jusqu'à Hadjout, puis à la ferme.

Même quand je descendais du car et qu'il m'attendait avec sa calèche, pour retrouver la famille, je ne pensai pas une seule fois à me « voiler ». Au centre du village, le samedi matin, il y avait foule au café des Européens ; de l'autre côté du trottoir, la pharmacie était également fréquentée plutôt par des mères de famille avec enfants sortant de l'école primaire. Je traversais, tête haute, le square central, là où, le soir, ils se regroupaient pour danser, du moins au cours de la belle saison. Encore une fois, sous leurs regards, je paraissais « déguisée » : en postière pseudo-européenne, malgré mes cheveux roux que je m'étais mise à teindre dans l'écarlate du henné, une manière de faire savoir, dans ce bourg de colons justement, que je tenais à paraître, sans équivoque possible, la Mauresque qui travaillait dehors et qui sortait sans voile !...

Pourquoi ces détails si dérisoires que je t'évoque, si longtemps après ? Pourquoi ne pas revivre avec toi ces soirées et ces nuits dans la grotte où tu avais pu venir me rejoindre, et donc notre dernière semaine ensemble ? Mais en ces journées d'alors, même étant si heureuse de t'avoir presque miraculeusement auprès de moi, toi, ma fillette, à cause de mon angoisse à pressentir ta prochaine adolescence dépouillée de ma présence, je n'ai pas songé à rétablir la chaîne des ivresses qui, successivement, tous les cinq ou dix ans, avaient transporté mon corps et mon âme, d'expérience en expérience, de station de joie à station d'émerveillement.

Que tenter de découvrir, que rétablir dans l'obscur, sinon pour t'accompagner mais comment ? Je descendais donc du car, les

cheveux flambant couleur henné et tirés en
arrière, la jupe un peu plus longue bien que
la mode alors eût raccourci les robes des
Européennes ; ainsi, je me redressais, fière,
bravant les regards : des mâles européens, de
leurs garçons que j'avais eus comme camarades auparavant et qui auraient pu être mes
galants, mais qui avaient bien vite rejoint leur
camp, regards aussi des amis de mon père qui
ne pouvaient s'empêcher de suspendre leur
partie de dominos tout le temps où je pas-
sais... Jusqu'à cet œil de femme voilée, anonyme – pointé presque sous mon visage, œil
unique et vorace : elle me frôla un jour où
mon père arrivait en retard, elle m'insulta :

– N'as-tu pas honte d'Allah ! gronda la fana-
tique.

Je ris d'une façon stridente.

– Qui pourra dire un jour sur qui la honte
retombera ! répliquai-je, heureuse d'avoir
trouvé la repartie cinglante dans notre dialecte commun.

Je me souviens que soudain, devant cette
forme d'hostilité-là, surprenante pour moi, je
me sentis vieillie – écrasée par quel fardeau
des autres ? –, comme si toutes les invisibles
semblaient me dire, même derrière leurs persiennes fermées, elles qui ne se hasardaient
pas comme celle-ci, une servante probablement, dont elles faisaient leur porte-parole
auprès de ma jeunesse audacieuse : « Pour-

quoi, mais pourquoi toi, toi seule, au soleil exposée, déshabillée, livrée ? »

Pour toi aujourd'hui, ma toute petite, toi que l'on va hélas bientôt appeler l'orpheline, toi que, accompagnée de ta nouvelle amie, je vois circuler partout dans Césarée et jusqu'au sanctuaire du saint, à l'entrée est. Vous marchez enfin, comme tant d'autres, soudain nombreuses au soleil, et n'en déplaise à celle qui me défia, dents serrées sous le voile de blanc sali, œil unique accusateur, vous, à votre tour, et ensemble, vous marchez enfin « nues » (il faut toujours dire ce dernier mot au féminin, en arabe, pour atténuer l'indécence et l'injustice de l'hyperbole). Je crois même qu'une adolescente, il y a peu, s'est mise à aller au lycée à vélo et, à nouveau, pour ce détail, explose, semble-t-il, le scandale dans la ville !

« Notre » ville, allais-je dire, ma chérie ! Car ce fut quand je rencontrai ton père que je me crus, peu à peu, femme de Césarée. Pour la première fois, dans cette cité si ancienne, je m'installai en croyant ardemment à l'avenir.

J'entrai, dès le premier jour, dans « sa » maison vieillie, simplette ; dans « ta » maison ! J'avais auparavant tellement aimé un homme en uniforme de l'armée française – un homme fier et raide, un vrai guerrier sans doute. Je m'étais tellement épuisée, quelques années durant, dans des discussions sans fin avec lui... Lui que je trouvais beau, dont la vue, jusqu'à la fin, me faisait battre le cœur, et dont je me séparai avec difficulté – car le drame de mai 1945 fut trop vaste pour nous tous !... Il nous écrasa, nous deux, dans notre différend du début. Je lui laissai mon garçon, qui me revint dix années après, pour son malheur, hélas, tu le sais !

Ton père, je le rencontrai par hasard : son allure de fermier comme mon propre père, maquignon de son métier et sachant à peine quelques mots de français... De connaître quelqu'un qui se mit à m'admirer, à m'appeler « Lalla », cela, ma fille, après tant de douleurs et de combats, ce fut comme une couverture de chaleur dont il m'enveloppa à tout jamais.

Que dire, que te dire, que revivre pour toi d'El Hadj, je l'ai toujours appelé ainsi : dans ses yeux, grâce à son amour, à sa bonté si profonde, dans sa noblesse si pudique, je ne lui paraissais ni déguisée, ni enfermée, ni maquillée... Moi, je me sentais fertile, et bizarrement muette soudain ! Ne recherchant plus ni la rue ni toujours le soleil. Dans l'ombre de la maison où je pénétrai, dans cette cité romaine que je ne connaissais jusque-là que de réputation, je me voyais revenue à quelles réflexions ? Ma fille aînée se mariait ; mon fils El Habib grandissait dans les casernes de son père. Mariée à El Hadj, je reprenais moi-même et tout naturellement le voile ancestral, sans même me dire une fois, une seule, qu'il était linceul. Non.

L'important : nous parlions chaque soir, El Hadj et moi. Il revenait des marches multiples des environs ; des messagers de l'ouest parcouraient ces lieux, donnaient des détails sur les leaders incarcérés, et même sur ceux en exil qui, en Orient, avaient retrouvé le vieux et grand Abdelkrim, le Rifain ! Au Caire, alors, paraît-il, ils rêvaient tous, ces exilés politiques, de réaliser « le Grand Maghreb » libre !... De si beaux rêves !... En tout cas, ton père, si sincèrement musulman par ailleurs, décida de partir en pèlerinage ; je me trouvais enceinte de ton jeune frère. Je l'encourageai à ce voyage.

Quand il revint deux mois plus tard, je le vois encore, cette soirée : toi, sur ses genoux, intimidée par son nouvel habit et lui tirant pourtant la barbe, lui, les yeux brillants du plaisir du retour, mais soucieux, à mon égard, de tout me raconter, d'une façon inépuisable : l'Egypte et la Syrie, les pays indépendants qui nous devançaient, en somme le reste du monde !

Les années qui suivirent, je crois que ce fut ma vie la plus heureuse : presque dix années où, parfois, il me semblait surtout dormir, puis l'écouter, rester avec mes petits ! Ce fut bon ainsi, tant de nuits successives avec un homme qui rentrait fatigué de son labeur, de ses déambulations, de ses conciliabules dehors, mais qui les revivait chaque soir avec moi : un époux au cœur si chaud !

Quand, beaucoup plus tard, à l'instant fatal, El Hadj mort, son cadavre fut à mes pieds, je me baissai sans pleurer, soucieuse de toucher sa poitrine nue, son visage, partout où son sang n'avait pas encore séché ! Je suis rentrée à la maison avec mes deux paumes serrées, parce que ensanglantées. J'ai voulu que son sang sèche sur moi, sur ma peau.

Ce même jour, remettant le pan de voile sur ma tête pour me dissimuler dans les vieilles rues jusqu'à la maison, oui, ce jour-là, je sentis que tout allait recommencer : j'allais de nouveau me déguiser, sinon ce voile accepté jusque-là deviendrait linceul, ou prison, il me fallait l'arracher, ou alors le mettre comme costume pour quel théâtre, pour quel jeu immense, quel affrontement nouveau ?

C'était un jour de canicule. Les dames de la cité venaient me présenter leurs condoléances en formules convenues. Je les ai écoutées à peine : dehors, il faudrait à nouveau vivre, respirer, crier, sentir la vie par ses pores, ses cheveux ou, par des ruses à trouver, du visage, du corps dissimulé ou dénudé... Il me faudrait inventer !

A partir de l'inhumation de ton père jusqu'au jour où les soldats français me sortirent de la forêt, je ne ressentis plus aucune

peine : tantôt une volonté longue, précise, qui
me durcissait, et parfois cette ivresse de
ma jeunesse qui revenait en moi intacte !
Lorsque mon cœur ne pouvait s'empêcher,
par instants, de chavirer, ce fut toujours dû à
l'angoisse d'avoir été contrainte d'abandonner
mes deux derniers. Mais à toi, grâce à Dieu,
j'ai pu, à ma manière, dire adieu, ces jours et
ces nuits de la grotte.

Me rappellerai-je mon « temps du maquis »
comme une ivresse ? Cette échappée finale fut
presque, pour moi, de longues vacances.
Commença la perpétuelle exposition de mon
corps, la dépense sans compter de mes forces
physiques, après que ma fille aînée me délivra
de votre souci, en se chargeant de vous. Arrivant à la montagne chez les partisans, j'ai eu
l'impression de reprendre une marche : vers
où, vers quel but, je me disais seulement :
jusqu'au bout !

Peut-être ai-je retrouvé avec naturel le
monde qui me rappelait l'enfance – avec, de
surcroît, l'impression parfois d'avoir la cité
antique à mes pieds, comme si je me faisais
serment de ne pas l'oublier. Au-dessus des terrasses, de la vie quotidienne avec ses chambres closes, ses patios secrets et quelques
fenêtres aux persiennes entrouvertes, ce
monde du clos, des chuchotements et du
silence était vraiment révolu pour moi.

Pourtant, dans cette transition d'exaltation, de concentration, de ruses et de mouvements incessants – descendre en ville, paysanne vieillie, remonter, retrouver le refuge, faire les comptes de ce qui avait été apporté..., quelquefois soudain débarrasser ce même refuge pour des abris en forêt – cette vacance à l'air libre constamment, je la ressentis comme renaissance, mais vers quoi ?

Un soir, ma chérie, il y eut fête des femmes : chez ta tante. Fête spontanée : les paysannes, surtout les vieilles, heureuses, fières, excitées de cette complicité ouverte – peut-être se doutaient-elles que toute notre compagnie allait partir bientôt. Les enfants avaient dû être parqués – laquelle avait pris l'initiative ? : on les avait laissés endormis dans une des cabanes les plus éloignées... Au milieu de la nuit, une vingtaine de femmes se trouvaient là, assises, dans un cercle à demi solennel, chacune dans sa tunique de fête. La plus jeune, une nouvelle mariée de quinze ans, m'avait-on dit, les joues rebondies, le visage éclatant de lumière et de santé, servait dans une jupe écarlate ramenée de la ville, ou même, me dit-on, de la capitale, et de ses doigts rougis récemment au henné, elle nous tendait, les paupières à demi baissées parce qu'elle jouait depuis sept jours au jeu social de la pudibonderie, vers chacune elle tendait, un demi-sourire sur ses lèvres fardées, une part de pain d'épice à la cannelle ou à la croûte ornée de grains d'anis.

Officiellement, je crois, on s'était dit que l'on fêtait avec elle son septième jour de bonheur. Toutes les invitées pourtant, jeunes comprises, se comportaient comme si la reine de la fête, c'était moi. Moi, la veuve et l'épousée désormais d'aucun homme, mais chacune, sans doute, de m'envier, comme si je devenais l'épouse platonique de la quarantaine de maquisards avec lesquels il me faudrait rester, et m'éloigner de nos montagnes...

J'avais beau aller d'une femme à l'autre, ne pas rester assise, moi, sur le matelas bas recouvert de velours qu'on m'avait réservé, j'avais beau avoir gardé ma robe paysanne de la journée aux manches courtes, mes doigts encore glacés, malgré la saison – car, avec ta tante Zohra, nous avions dû faire aussi de la lessive –, chacune, y compris le rang des aïeules, dont l'une, aveugle, branlait la tête en fredonnant à demi, les doigts égrenant un chapelet précieux, oui, chacune me considérait presque comme une sorte de mariée, moi aussi ! En tout cas, comme une invitée à part. C'était, en fait, moi qui avais désiré cette réunion : j'avais pris le prétexte de l'éloignement imminent de la compagnie ; le commandant, au matin, avait insisté :

– C'est toi... toi, qui prends le risque ?

– Oui, avais-je répondu, je les réunirai

toutes, tard dans la soirée ! Je passerai la nuit avec elles. Demain, je vous retrouverai !

Dans la journée, ta tante Zohra, mise dans la confidence, avait réparti aux plus jeunes la préparation du menu ! Nous mangions donc, ce soir-là, ta tante heureuse de tendre les plats chargés de semoule aux légumes de saison. L'une des vieilles avait soudain proposé :

– Cette nuit bienheureuse, laissez-moi redire la mélopée de l'Aimé ! Le Prophète aux yeux doux dont l'amour tient éveillé mon cœur, et réchauffé mon sang dans mes membres froids !

Elle avait fredonné la première ; un chœur improvisé avait suivi. Et la jeune épousée de quinze ans, à la fin de la mélopée – qui, au cœur de cette nuit, avait tissé entre nous un feuillage de tendresses oubliées, de caresses inexprimées, si bien que ma voisine pleurait doucement, qu'une autre reprenait le nom d'Allah en soupirs d'amoureuse –, la jeune épousée, quelques jours auparavant vierge à l'éclat pas encore terni, s'était avancée vers moi et d'une voix intimidée :

– Laisse-moi, ô toi qui nous guides, te rougir tes paumes de la pâte du Paradis ! Si tu nous quittes demain, notre protection et notre amour, à nous les femmes d'ici, ainsi te suivront !

Je ne répondis pas : des larmes – les premières, depuis des années – me montèrent aux yeux et je ne pus les cacher. Ta tante qui, je le savais depuis toujours, lit dans les cœurs, déclara pour toutes :

– Zoulikha la bénie pense à sa fille, la dernière !

– Qu'elle soit heureuse et un jour protégée comme la belle qui se dresse maintenant devant toi ! s'exclama la vieille aveugle.

La jeune épousée était à genoux devant moi, ouvrant les linges, malaxant le henné dans une vieille tasse de cuivre étincelant ; une voisine vint reprendre le relais des litanies et je me laissais enfin guider par elles, dans ce long couloir des cérémonies.

– Jamais, à aucun de mes mariages, je n'ai songé à demander cette coutume ! murmurai-je.

Et celle qui chantait, coiffée d'un foulard de couleur or et safran, de me dire :

– Ce soir, ce sont tes noces avec le Paradis, ô notre reine !

J'ai séché mes larmes. J'ai regardé l'inconnue, la nouvelle épousée, qui terminait de m'emmailloter les paumes et je ne pus m'empêcher de souhaiter :

– Que ma dernière, un jour, ait l'éclat qui illumine aujourd'hui ton visage, ô ma fille !

– Heureuse, je suis si heureuse, je suis vibrante de chance et d'amour, si tu savais ! me souffla-t-elle en confidence.

Les mains toutes barbouillées, dans l'attente que la pâte sèche, je me dressai – infirme, étrangement vulnérable – et j'embrassai la jeune épousée.

A l'aube, je rejoignis les hommes d'armes. Là-haut dans la forêt, je ne pourrais que rester avec « mes guerriers », ai-je songé. J'ai lavé mes doigts, puis, au soleil levant, j'ai contemplé mes paumes écarlates... Je te raconte cette nuit des femmes, cette harmonie qui nous a liées, toutes !

Une fois seule dans la grotte, m'est revenue alors, plus vive encore, ma nostalgie de vous deux ! Je t'ai appelée ; tu vas enfin venir...

11

Lorsque Mina, fillette,
voyagea au maquis chez sa mère

Mina et son amie se sont arrêtées à mi-chemin de la route vers Alger, dans un village de pêcheurs, grossi autrefois par des émigrés italiens, à la fin du XIXᵉ siècle. Une marque de conserves d'anchois – dite « Papa Falcone », restée encore célèbre pour leur saveur, dans cette région.

Ces émigrés, devenus en deux ou trois générations des « pieds-noirs » – comme si cette référence inattendue à une tribu lointaine d'Indiens d'Amérique pouvait faire oublier les autochtones autrefois écrasés à la guerre –, ces émigrés donc, retournant, après 1962, par vagues vers le nord de la Méditerranée, villageois et paysans des collines alentour errent désormais, livrés au désenchantement, sur le front de mer déserté...

Mina connaît, au bout d'une allée, un restaurant modeste avec une terrasse au-dessus du port de pêche : le patron est un ancien ouvrier de Citroën qui, grâce à sa retraite, est revenu au village natal – son épouse et ses enfants, pour lesquels la banlieue lyonnaise reste un éden, le rejoignent seulement l'été pour les vacances à la mer.

Mina fait halte régulièrement chez l'émigré « réinséré ».

– Il aime faire la cuisine : grillade de poissons frais, salades de légumes cuits à la vapeur... et surtout (elle rit, espiègle) du bon vin rouge local. Je le soupçonne, ajoute-t-elle plus bas, d'avoir ainsi trouvé la façon de le boire ouvertement, au cœur du village des ancêtres !

En ce milieu du jour, il s'agit d'éviter la touffeur de la canicule.

– Nous serons à la capitale pour la fin de l'après-midi ! promet Mina.

Après avoir dégusté les anchois en entrée, toutes deux commandent le pain « fait maison ».

– Par la villageoise d'en face, il suffit à mon serveur de traverser l'allée ! dit le patron, souriant, qui annonce, comme plat du jour, une grillade de rougets pêchés à la première aube.

Les amies fêtent ainsi leur prochaine séparation.

– Souviens-toi, Mina, la première conversation que j'ai eue avec toi, il y a deux ans : tu avais résumé brièvement ta montée au maquis chez ta mère, « toi, fillette de douze ans à peine ! ».

Mina ne répond pas, s'absente. Le restaurateur va et vient ; se met à parler d'une jeune femme, manifestement la gloire du village :

– Elle avait choisi d'émigrer en France, il y a de cela cinq ans, six tout au plus. Savez-vous ce qu'elle est à présent, là-bas ?

– Là-bas, c'est-à-dire ?

– A Grenoble, ville d'émigration ancienne pour notre communauté !... et il continue, volubile : Cette jeune femme, Halima « la rêveuse », pourrait-on traduire, ou, pourquoi pas, « celle qui est digne d'un rêve », Halima donc, qui a obtenu, à la capitale, un diplôme de géographie, aurait voulu continuer en géologie, mais elle n'a pas bénéficié de bourse. Eh bien, là-bas, dans la « métropole », comme disaient autrefois nos pieds-noirs, Halima, au prénom prédestiné, a vu son rêve se réaliser : non seulement elle exerce sa profession, mais la voici, en plus, transformée en personnalité de la ville !

– C'est quoi une personnalité de la ville ? interroge l'amie de Mina (et elle se dit : La cuisine est délicieuse, les légumes marinés comme à la maison, mais Dieu que le patron est bavard !... Nous laissera-t-il enfin dans le silence qui nous convient aujourd'hui ?).

– Tu veux savoir, précise Mina, ce qu'est devenue notre compatriote : Halima a été élue conseillère municipale là-bas. A l'annonce de cette promotion, tout juste si le village ne lui a pas envoyé deux cents télégrammes de félicitations, d'un coup.

– Le village se meurt, soupire le patron...
Presque pas de touristes ; quant à la clientèle
locale, les enfants de nantis ne quittent pas
les abords immédiats de la capitale.

– Vous avez bien choisi votre lieu de
retraite, conclut la visiteuse.

Soudain, ce fut la paix. Le silence, venant
du jardin dehors, à peine la stridulation prolongée et affaiblie des cigales. Le patron disparaît pour sa sieste ; il laisse son serveur, un
adolescent, veiller sur les clientes.

Mina garde sur les lèvres un sourire distrait.
Plonge-t-elle dans le passé ? L'interrogation
de son amie va-t-elle rester suspendue ?

Puis elle se met à parler ou, plutôt, se prépare à s'écouter parler : dans ce restaurant-gargote, un de ses relais familiers, elle
n'oublie pas qu'elles sont... sur le chemin du
retour, vraiment ? Elle voudrait se couler dans
le corps d'une parole fluide, pourquoi faire
l'effort de se souvenir, pourquoi ? Par instants, le souvenir est une fleur, un gardénia
ou... Non, le souvenir de ma mère, je le porte
comme un cercle fermé sur lui-même, moi au
centre enveloppée de moire ou de taffetas
raidi, me mirant parfois et parfois moi,
m'obscurcissant à mon tour.

Comprendra-t-elle, cette amie, que l'on ne

peut se souvenir tout contre une bouche d'ombre...

Je ne réveille pas les morts, je les porte vivants, peut-être tout au plus embaumés à l'égyptienne, puis se dépliant peu à peu dans la pénombre. Moi autrefois, jouant toujours en plein soleil et ne rêvant qu'à la mer. Seul mon petit frère pouvait aller se baigner au port, moi jamais. Si seulement Zoulikha avait été là, au cours de mon adolescence, j'aurais osé m'habiller en fils de pêcheur (j'étais plate, il m'aurait suffi de couper mes cheveux à ras). Moi pourtant, la fille de l'héroïne absente, qui n'ai pu que rêver à la légende maternelle, moi... Souvenirs, lente marée intérieure enflant, s'évaporant, selon l'humeur et les nuages...

Mina ouvre les yeux qui, deux ou trois minutes, guère plus, ont semblé éblouis par la blancheur aveuglante du soleil...

Elle répond enfin à celle qui, patiemment, a interrogé :

– Je t'ai laissée déguster les poissons grillés. Plonger dans le passé pour m'ébouillanter ? Me retrouver submergée par des nappes d'autrefois pour... Face à cette mer indifférente d'aujourd'hui, peut-être suffit-il, disons, de revivre !

Enfin, elle commence, tandis que celle qui l'écoute fixe les longs doigts, un peu frêles (ceux de la main droite, comme si Mina désirait plutôt écrire que parler), qui se sont mis à battre la mesure, à souligner les phrases, courtes ou longues, faisant remonter quoi à la surface : en un chapelet, les mots de celle qui se prépare – à prier, à maudire, à exorciser ou à espérer dans l'avancée irréversible, dans le déroulé des jours qui ne reviendront plus, oui, les longs doigts bruns de Mina frappent par petits coups le rebord de la table fruste et sa voix, ainsi soutenue, ne va pas s'arrêter désormais : plutôt établir sa percée, en avancée toujours (ainsi, l'émigrée qui, faute d'exercer sa science géologique ici, est partie au plus loin, au plus haut, au sommet des Alpes européennes pour devenir « une personnalité », a dit le patron), doigts d'une seule main de celle que dévore en silence le passé (« moi, fillette de douze ans »...), ils battent inexorablement la mesure, rythme secret selon une métrique à inventer...

Voix de Mina

Je me souviens de ce jour où je rencontrai une mendiante que je n'avais jamais vue. En l'approchant, je m'aperçus qu'elle n'était même pas vieille, avec certes un accent de la montagne, et beaucoup de tatouages au menton, au front, en haut des pommettes, comme les femmes nomades. Sans frapper à la porte, elle était entrée avec bruit et s'était installée d'autorité dans le vestibule si frais que je venais de lessiver.

– Appelle ta mère ! me dit-elle avec rudesse.

– Ma mère n'est pas là !

– Alors ta tante ou ta grande sœur !

– Que veux-tu donc ? lui rétorquai-je, moi, une gamine de douze ans, redressant toute ma taille pour, m'imaginais-je, en imposer comme maîtresse de maison... Et j'ajoutai : Mon frère plus jeune joue dehors, mais à la maison, c'est moi... (J'allais dire : qui commande, mais je m'arrêtai.)

– C'est toi ? fit-elle, amusée, et elle changea soudain de ton.

Elle s'était assise à même le carrelage, redressant son dos contre le rebord du bassin, elle ajouta d'une voix adoucie :

– C'est toi, oh oui, toi, la maîtresse, ici ! Tu vois, je sais tout car je viens... en messagère.

– Une messagère ? De qui, de quoi ?

Et j'élevai le ton ; et je craignis quelque piège. Elle me calma aussitôt :

– Tu es bien la fille de ta mère, la *moudjahidda*.

Moi qui me sentais, comme ma mère, plus forte en français, je traduisis instantanément : « ta mère, la combattante ». J'eus confiance, à cause de ce mot. Je m'assis à mon tour par terre, face à elle. Messagère peut-être, mais de quel message ?

– Ta mère, que Dieu l'aide dans son combat, voudrait que toi et ton frère, on vienne vous chercher et vous emmener, pour quelques jours, jusqu'à elle... avec elle !

– Quelques jours avec ma mère ? murmurai-je, le cœur battant.

– Il paraît qu'elle languit de vous deux !

Je me mis très vite à réfléchir. J'aurais voulu partir aussitôt.

– Mon frère, murmurai-je. Quand il ne va pas à l'école, comme aujourd'hui, il est dehors ; il joue dans la ruelle. Il n'a que six ans ; il a besoin de ses camarades !

– Vous pourriez faire savoir que vous partez chez votre grande sœur, pour quelques jours de vacances !

– Non, il n'y a pas de vacances, pour l'instant, à l'école !

– Tu ne peux pas trouver un prétexte ?

Je me mis à chercher, chercher... Et la voix, même lointaine, de ma sœur Hania qui ne cessait de me recommander : Attention, pas d'imprudence, sois discrète !...

– Il me faudra attendre ce soir ; une parente, Aïcha, vient chaque soir pour le dîner, et quelquefois, dormir avec nous. Elle parlera avec ma sœur, en lui téléphonant d'une maison amie.

A la mendiante, j'ai pensé ensuite apporter la cruche d'eau froide.

– Je peux t'offrir des olives, de la galette de ce matin.

– Une vraie maîtresse de maison, tu es, ma fille ! Merci pour l'eau.

Elle but longuement.

– Je n'ai besoin de rien d'autre. Souviens-toi, je suis la messagère !

Elle se leva, vive soudain et le dos redressé, bien droit. Elle m'enlaça, s'attendrit :

– Je reviendrai demain à la même heure, et laisse ton frère jouer comme d'habitude dehors !

Quand elle s'approcha du lourd battant de la porte pour l'ouvrir, j'eus soudain un élan imprévisible. Je l'ai tirée par sa tunique.

– Dis-moi donc, ô messagère !

Elle se courba vers moi, souriante, et ses tatouages bleu foncé se déformèrent, tous.

– Est-ce que tu la vois, ma mère ?

Et ma voix chavira, mais je me mordis les lèvres pour ne pas fléchir.

– Tu la verras, toi, je te le promets, ma petite !

Et se retournant pour sortir, elle ajouta, avec un geste circulaire du bras, une bénédiction générale sur toute la maisonnée.

Or moi, toute la nuit, je ne pus dormir : ma mère, me semblait-il, était une souveraine des montagnes et elle disposait d'une armée de messagères dans le monde !

La main droite qui marquait le rythme de ce récit presque enfantin s'arrête net. Mina, le visage soudain froid, continue sur un ton plat :

Pour moi, c'était facile d'aller, quelques

jours, la retrouver. D'autant plus qu'il fut décidé – étant donné ma haute taille – que je me voilerais pour prendre le car, en suivant le guide qui se présenterait. Mais, pour mon frère, non ! Il y avait trop de risques. Les voisins se poseraient des questions et il aurait été aisé, si quelque espion de la police était mis en éveil, de vérifier que nous n'étions pas chez ma sœur, à Burdeau.

Finalement, il fut décidé que moi seule tenterais l'aventure, la parente qui venait chaque soir s'installerait à demeure, le temps de mon absence.

J'eus rendez-vous avec mon guide à la sortie de la ville, devant le mausolée de Sidi Brahim. J'étais arrivée, avec mon voile blanc de jeune fille, le visage entièrement masqué, sauf un œil libre.

Comme ce me fut difficile ! Fière d'abord de descendre la rue El Qsiba de mon quartier, pour la première fois de ma vie ainsi : droite, invisible aux regards, et même non reconnaissable par les badauds, toujours à l'affût. Fière surtout, je me rappelle, d'avoir la silhouette d'une vraie jeune fille, paraissant seize ans peut-être : presque une femme – une véritable inconnue, j'en étais tout émue.

Au sanctuaire, près de la porte, on m'avait décrit le jeune homme : sa coiffe rouge, son couffin volumineux. Je lui fis face et découvris mon visage. Il m'expliqua à quel endroit j'avais à prendre le car. « Je suivrai derrière ! » ajouta-t-il. Je cachai à nouveau mon visage. Soudain, à cause de l'émotion peut-être, voilée ainsi, mais regardant en ombre borgne, ce fut comme si je ne voyais plus rien... Je m'affolai. Tout voir, qui voir, à travers cette fente minuscule ?

Le car arriva ; je montai, tremblante. Il démarra aussitôt. Je balbutiai, mes lèvres murmurant sous le tissu :

– Je vais à Menacer.

Je m'aperçois soudain que le guide n'est pas monté. Sur quoi, le conducteur de me répondre, assez haut et ironique :

– Nous allons, ô Lalla, à Kharrouba.

Mon cœur s'affole. Je descends à l'arrêt suivant. Je reprends, en sens inverse, un autre car et me voici de retour près du mausolée de Sidi Brahim, à mon point de départ. Mon guide n'est plus là ; j'hésite. Me faudra-t-il retourner à la maison ? Non, me dis-je, serrant les dents. Mon frère n'est pas seul à la maison et cela, pour trois ou quatre jours. Je dois voir ma mère. Je la verrai, quoi qu'il arrive ! Je réfléchis très vite : l'année auparavant, mais sans voile, j'avais pris le car seule jusqu'à la tribu de mon père, alors vivant, mais recherché. J'irai donc là, me dis-je. Devant moi, des paysans de tous âges s'éloignent de la ville. Je m'approche d'un vieil homme.

– Mon père, est-ce que tu connais 'Izzar ?

– Certes oui, répond-il, je vais par là.

– Est-ce que je peux te suivre, pour le chemin ?

Il me fixe, soudain méfiant : sans doute parce que ma voix, sous le voile, trahit mon âge.

– Chez qui vas-tu à 'Izzar ? demande-t-il.

Je nomme la famille de mon père. Rassuré, il me répond :

– Suis-moi ! Prends le car que je prendrai, descends là où je descendrai.

C'est ainsi que, calme et résolue, j'arrive dans l'après-midi chez tante Zohra Oudai, et chez mon grand-père, encore vivant alors. Je m'impatiente :

– Il faut que vous trouviez un bon guide pour aller dire à ma mère au maquis que je suis montée là pour venir la voir ! Je veux la voir ! ai-je insisté, pendant que les femmes faisaient cercle autour de moi et s'étonnaient.

J'avais certes grandi, en un an ou un peu plus, mais c'était de me voir ainsi, plutôt voilée avec quelque maladresse qui les faisait soudain sourire, ou s'attendrir, je ne sais.

Le lendemain, très tôt, un autre guide vint enfin me conduire jusqu'à l'abri où vivait ma mère : une casemate en pleine forêt et à haute altitude. La compagnie avec elle comptait quarante-cinq hommes, presque tous très jeunes. La situation, me dit-on plus tard, était devenue difficile pour Zoulikha : on craignait quelque trahison. Les ratissages s'étaient multipliés. Plus question pour elle de faire le lien

avec les cellules de femmes, en ville. Il était
décidé de la changer bientôt complètement
de secteur. C'était dans ces conditions qu'elle
s'était mise à languir de nous, « de mes
petits », disait-elle sobrement. La première
nuit, je me souviens, j'ai dormi dans ses bras,
tout au fond de la grotte, jusqu'au matin.

Ma mère était la seule femme parmi ces
moudjahidin. Je restai avec eux tous quatre
jours. Une fois, pendant cette période, les soldats français firent mouvement et arrivèrent
non loin. Nous avons changé d'abri, bien plus
haut, mais, le soir venu, nous avons pu revenir
au précédent refuge.

Un autre jour, elle me reprocha de n'avoir
pas pu lui amener mon frère. Je lui expliquai
longuement pourquoi : les garçons, dans les
rues du quartier, se seraient rendu compte de
cette absence. Elle s'attrista.

– Ainsi, se plaignit-elle, ce sont maintenant
les autres qui ont autorité sur mes propres
enfants !

Je ne lui en voulus pas. Plus tard, je me suis
dit qu'un obscur pressentiment la tenaillait,
comme si, plus jamais, ensuite, elle ne pourrait nous revoir.

– Quand tu redescendras, me dit-elle le troisième jour, je te chargerai d'une commission
pour Lla Lbia.

Celle-ci devait, le samedi suivant, préparer une réunion avec toutes les militantes.

– Qu'elles recueillent tout ce qu'elles auront pu collecter – elle soupira. Nous avons, ces temps-ci, tant besoin de quinine. Tu n'oublieras pas, recommanda-t-elle.

Je protestai soudain :

– Tu me parles déjà comme si nous nous quittions ! Je suis encore là, Mma – et ce fut la seule fois, je crois, où, sans me rendre compte, j'éclatai en sanglots.

En m'étreignant, Zoulikha remarqua tristement :

– La vie de maquis commence à te plaire !

Elle rit doucement.

Ce même jour, elle m'expliqua qu'après la réunion chez Lla Lbia, toute cette compagnie se déplacerait vers des montagnes de l'est, à trois journées de marche de là.

– J'y suis allée une fois : nous avons établi une importante infirmerie de campagne. Elle fonctionnera, je l'espère, bien abritée. Tu vois, ajouta-t-elle, après un moment, d'ici, quelquefois, par des nuits très claires, il m'arrive de voir, au loin, les lumières de Césarée... Je peux ainsi rêver de vous, chaque nuit. Imaginer mes deux petits, couchés dans les pièces que je n'oublie pas. En vérité, jusque-là, même quand je dors, c'est comme si la cité – et vous dans son cœur – dormait sous mes pieds !

Le lendemain matin, un mercredi, elle se

réveilla plus tôt et, quand je me levai à mon tour, je l'entendis me dire :

– Le guide est prêt pour te faire redescendre. C'est le quatrième jour, as-tu oublié ?

C'est alors que j'eus vraiment douze ans, c'est-à-dire que je perdis mon contrôle, même sous les yeux de quelques-uns des maquisards. Je sortis de la grotte, je pleurai, je me révoltai :

– Je ne retournerai pas rester parquée dans la maison, alors que vous êtes là, libres, tous ! Et je trépignai, sanglotant sans retenue : Avec toi, je veux rester ! Avec toi, je veux aller dans la forêt, à l'air je veux vivre !

J'ajoutai n'importe quoi : le chagrin m'emporta, comme si je gardais l'espoir qu'on allait me garder. Zoulikha me considéra sans rien dire, ne me rappela même pas mon devoir de veiller sur mon frère. Elle était triste et, par instants, amusée. Je dus me calmer toute seule : les maquisards s'étaient éloignés. Je revins à la raison lentement.

– Si ce n'était pas mon frère..., répétais-je en hoquetant.

Enfin elle me prit, me berça, me consola, redit avec fermeté :

– Tu es ma grande ! N'oublie pas le message à Lla Lbia ! Et je te verrai samedi.

Nous sommes restées seules, toutes les deux, dans une clairière ensoleillée ; c'est alors, je crois, que, pour m'apaiser, elle me raconta un de ses plus beaux souvenirs : une

fête des paysannes qui avait eu lieu, une
semaine auparavant, dans la prévision également
de son départ de la région. Elle parla,
elle décrivit la fête, sa joie, et c'est ainsi qu'elle
évoqua ses espoirs pour l'avenir : le mien,
disait-elle, le nôtre, répondais-je, et elle corrigeait
à son tour :

– Naturellement, celui de tout le pays !

Elle descendit à Césarée le samedi. Cela se
passa comme elle l'avait prévu. Elle m'envoya
chercher. Je la vis encore, mais si rapidement,
dans ce patio de Lla Lbia où tant de femmes
se pressaient, et elle, pour la dernière fois,
vieillie à nouveau et déguisée... J'assistai au
contrôle du grand couffin et, cette fois, ce fut
Ali, le fils de Lla Lbia, qui fit passer le couffin
au guide qui allait la précéder.

Elle sortit. Je retournai à la maison. Mais
le mardi suivant, la nouvelle courut assez tôt
le matin, dans notre quartier : « Elle a été
arrêtée, Zoulikha ! » Je ne le crus pas. Souvent,
tant de fausses nouvelles avaient circulé ;
quelquefois même, cela nous arrangeait.

Or, à la fin du même jour, le père de mon
père vint chez nous à la maison et, gravement,
il nous annonça :

– Ta mère a été arrêtée dans la forêt !

Il ajouta les noms de quatre hommes, ainsi
qu'un Oudaï, cousin de mon père, qui, comme

elle, avaient été sortis, enchaînés. Et comme elle, on ne les revit plus jamais ensuite.

Les deux amies retournent à la voiture en silence. La température s'est adoucie.

– Une heure de route encore, pour t'amener à bon port ! annonce simplement Mina qui reprend le volant.

12

Dernier monologue de Zoulikha
sans sépulture...

De la longue durée de la torture et des
sévices, ne te dire que le noir qui m'enveloppait. Peut-être étais-je étendue dans une tente,
peut-être dans une cahute de campagne – le
camp immense des suspects, des arrêtés pour
les interrogatoires, ne semblait pas loin. Ils
s'étaient querellés entre eux, moi couchée :
l'un d'eux dont je n'avais pas reconnu la voix
avait crié, par deux fois (la seconde fois, plus
bas, ou avais-je peut-être, entre-temps, perdu
conscience), que ma détention était « illé-
gale », qu'au camp (je n'ai pas retenu le nom)
je devais être transportée !

Ils avaient dû continuer encore à ergoter,
tout un tumulte de voix froides, un seul
paraissant entêté et scandant ses mots sur le
même ton bas, je dirais même ardent. Mais
tout s'est mêlé, seule la douleur le long de mes
cuisses me déchirait, me lancinait, montait
jusqu'aux oreilles, c'était comme une âcreté
étrange de percevoir le sol humide de « la

terre entière », pensais-je confusément, avec des senteurs mêlées, écœurantes ; en même temps, il me semblait que le sol s'inclinait en un immense plan oblique, m'entraînant dans quel cosmos de néant bleu froid, de silence déroulé mais en vagues lentement chevauchées, ou emmêlées, tels des écheveaux de laine cardée...

Je n'ai plus entendu mes bourreaux, je ne percevais même plus mes râles... Est-ce que, si cela continuait, la torture sur mon corps aurait le même effet que presque vingt ans de nuits d'amour avec trois époux successifs ? Ou cette confusion était-elle sacrilège ? Torture ou volupté, ainsi réduite soudain à rien, un corps – peau jetée en dépouille, à même le sol gras –, la mémoire des derniers instants malaxe tout monstrueusement : torture ou volupté, mon corps – peut-être parce que corps de femme et ayant enfanté tant de fois – se met à ouvrir ses plaies, ses issues, à déverser son flux, en somme il s'exhale, s'émiette, se vide sans pour autant s'épuiser ! Du moins pas encore... Peut-être qu'il cherche dans le noir, et hors du temps, quelque métamorphose ?

Penser aux quatre enfants que j'ai eus, au feuillage de murmures, de gémissements, de râles déchirés et d'assauts furieux qui ont précédé leur venue à chacun – t'imaginer plus particulièrement toi, Mina, dont le corps encore presque d'enfant a dormi recroquevillé

contre moi, les nuits de la grotte, cela m'a
permis de traverser cette durée de la torture
si longue sans que le sang, le pus ou l'urine
m'éclaboussent l'âme, me souillent le cœur.

Ne songe pas plus tard, ma chérie, à mon
passage sous la tente : il fut ordinaire, il fut
inévitable. Ton père est mort, la poitrine
mitraillée et le sourire aux lèvres : il était pur,
le feu l'a préservé au dernier éclair. Moi, si je
n'ai pas eu cette chance de mourir en combattant, c'est sans doute parce que mon corps
leur faisait peur. Normal qu'ils s'y acharnent,
qu'ils tentent de le morceler !...

Je ne me souviens même pas de leur liste
de questions inlassables. Bien avant les six
mois qui avaient précédé le temps exaltant du
maquis – liberté retrouvée, pour ne plus la
perdre, pour m'y perdre –, nous aurions dû
savoir, les garçons et moi-même, que questions, réponses, harcèlements de mots, ruses
insidieuses destinées à faire figure de faux
aveux, que tout cela en fait serait mise en
scène, « jeu » gratuit : autant pour les bourreaux que, sans doute, pour les victimes
(quand certaines d'entre elles, parfois, inopinément fléchissent, se livrent soudain, la
honte ne survenant que longtemps après...).

Car, les armes une fois tombées des mains,
les rets allant immobiliser la prisonnière,
l'affrontement premier ne peut se transformer

qu'en enchevêtrement... Non, pas ce scénario
pour moi, non !

Dès qu'ils ont commencé à me mettre à la
question – dans une tente, dans une cabane,
je ne sais, aveuglée étais-je en descendant de
l'hélicoptère, j'avais, il est vrai, délibérément,
par instinct irréductible, oui, j'avais fermé
les paupières. Dès qu'ils m'ont interrogée,
une première fois – une phrase inutile, inef-
ficiente, j'ai su la nécessité du rite : ils
posaient déjà les fils de la gégène, ils apportaient les bidons d'eau pour la baignoire, ils
aiguisaient les couteaux dans le crissement
convenu, tout cela, au fond, pour prendre les
mesures de mon corps.

Cette masse lourde, aux muscles vigoureux,
à la peau maintenant brûlée par le soleil, ce
sexe qui avait accouché quatre fois, cette
statue en somme, enfin ils allaient la palper,
tâcher d'en percer le ressort secret, vérifier
sur elle pourquoi elle ne s'avérait pas simple
mécanique, pourquoi les liens sur mes poignets et sur mes chevilles, mes seins dénudés
et gonflés me faisant mal, ma chevelure
dénouée sur laquelle ils crachaient et qu'ils
appelaient par dérision « la crinière de la
lionne », sur chacun des morceaux de cette
chair, ils s'acharnaient à deux, à trois, avec
fureur et froide détermination tandis que,

tout ce temps, les hantait, continue, long filet perdu, ma voix.

Ma voix qui m'avait échappé ; qui gémissait, seule, comme sans lien ni racines ; qui hurla une seule fois, la seconde d'après, je me souviens que je réussis à mordre, tout près, une corde rêche et humide. Ma voix que j'entendais en vibration indistincte, mais si forte en même temps, comme si l'écho me renvoyait, contre les tempes et sous mes paupières baissées, son cinglement... Ma voix qui n'émettait aucun mot, ni arabe, ni berbère, ni français. Peut-être, il me semble, « ô Dieu, ô Prophète chéri », ou le dessin en creux de ces mots familiers ; peu à peu, ensuite, je déroulai, en lent chapelet, chacun de vos prénoms, y compris celui d'El Habib disparu, ton doux nom en dernier, modulé sans cesse tandis que mon vagin électrifié vrillait entièrement comme un puits sans fond... Dans cet antre autrefois de jouissance, ton prénom, tel un fil de soie pour s'enrouler infiniment jusqu'au fond de moi, pour m'assourdir et m'adoucir... « Ô Dieu, ô doux Prophète ! » et l'arabe ancestral me revenait, eau de tendresse dans cette traversée.

Ils m'ont sortie longtemps après, mais dans la lumière. C'était une aube, j'en suis sûre. Mon corps rhabillé, je ne sais comment : la même toge de bure paysanne, dans laquelle

222   La Femme sans sépulture

ils m'avaient trouvée, en me traînant hors de la forêt. « Un cadavre », ont dit les gens de la ville ensuite : un cadavre exposé en plein centre du douar de ton père (celui qu'ensuite ils détruiront, pierre après pierre...).

C'est à partir de cette aube que, dorénavant, je te parle, ô Mina, ma petite. Toi que je cherche dehors, dont je tente de deviner la voix là-bas, la présence, les mouvements, le travail et jusqu'à tes nuits de halte... Mon cadavre : est-ce que les autres, tous les hommes de ces mêmes lieux, ne se sont-ils pas mis à leur tour à avoir peur, de qui... de moi en particulier et de ce qu'ils ont appelé « mon héroïsme », ou plutôt de cette présence de mes bras, de ma poitrine, de ma tête toujours droite et de mes cheveux désormais en broussaille – car ma crinière de lionne rousse, exprès, ils l'ont traînée dans la poussière, le foulard multicolore, ils ne l'ont pas remis sur mon front, sur mes oreilles, la robe brune m'enveloppait trouée, maculée seulement sur la hanche ou dans le dos, mes pieds nus et nue la tête aux cheveux emmêlés, formant une auréole autour, devenant centre d'embrasement pour les premiers rayons.

Comme si me traîner et m'exposer ainsi aux chacals errants, et auparavant aux yeux effrayés des paysans immobiles dans un cercle voyeur et impuissant, comme si ironiser sur ce corps femelle abattu, un des genoux plié sur le côté si bien que le mouvement à demi ouvert de la jambe, du mollet ne pouvait qu'évoquer une posture indécente – cet écartèlement, ce tableau de peinture à vif caricaturé – je m'adresse à toi en une bouffée d'angoisse –, liait bizarrement bourreaux et hommes victimes ou même témoins...

– Nous vous désignons le mal ! Nous vous demandons d'écarquiller les yeux, de vous en repaître, pour vous, pour votre tranquillité future, pour le sommeil des générations suivantes !...

Je l'imagine aisément, cette adresse masculine, au nom de la bienséance ou de la tradition islamiques, maraboutiques, Dieu sait quoi d'autre, mais tradition certes avec son plomb – une mise en garde entre complices, d'un air de dire, comme au Café du Commerce des colons du village, ou des fidèles de la mosquée, les fidèles aux parties de dominos des cafés maures : « Où allons-nous si vos femmes, si vos filles se trompent de rôle ! », ou quelque phrase, conventionnelle à souhait, pour, sur mon corps mis à bas, jeter l'opprobre !

Ô toi, Mina, devenue femme entre-temps, c'est comme si, de cette ultime exposition devant tous (j'allais dire, cette crucifixion sans croix !), je n'avais pas bougé du cœur du douar, des décennies : une nuit entière, toutes les nuits. C'est comme si j'avais pourri au même endroit (celui que ta sœur Hania a cherché en vain, cette journée qui a suivi le cessez-le-feu), sous un soleil immuable, puis dans le corridor de ses nuits d'insomnie !...

J'ai pris racine là, à l'endroit, disent-ils, de ma mort exposée, pour commencer à te parler ou pour t'attendre, vingt ans après, pour t'interroger sur moi, mais oui : est-ce que la peur me tenaille encore, me mord, m'affaiblit au point de l'user, cette dépouille, la diluer, la réduire en myriade de poussières au vent du sud, ou ne serait-ce pas désormais une peur tournée vers toi, vers ton corps si frêle, vers ton visage de jeunesse, vers ton avenir ?

Comment puis-je rejoindre le royaume des morts rassérénée si me hantent encore mon angoisse pour toi, ma curiosité frileuse, ma faim nullement rassasiée de ton destin, toi, tige de jasmin risquant de tomber avant d'exhaler son parfum tenace, avant de...

Mon corps fait-il la sieste ? Les corps femelles, qu'on croit abattus, étalent ainsi leur endormissement, au-delà de la ligne d'ombre, se saisissent par bourrasques de l'oubli, et de son vertige, dans l'attente les unes des autres, sur la barque du grand Nocher ! Comme si mon ventre qui t'a enfantée attend de savoir ce que deviendra ta chair rayonnante, si à son tour elle ne doit pas enfanter pour mériter sa propre paix ou si elle doit rencontrer d'autres viatiques, une autre maturation !...

Jours successifs que tu peux imaginer : c'était le début de juillet ; le sirocco remontait du Sud profond vers les pentes érodées, fondant ensuite, par des couloirs quasi invisibles, sur la ville tassée et jusque-là rafraîchie... deux jours, chacun de mes pores face au ciel à contempler la lumière déversée, emplissant l'immense coupe céleste... ses nuances, heure après heure, sa pâleur imperceptible lorsque les chiens bergers n'aboient plus et que le silence, couvercle immuable, écrase les fermes éparpillées, un silence d'attente, de théâtre, de tragédie éventée en plein midi qui prête à l'éther une vibration sourde et argentée... mon corps à terre se durcissait, s'installait dans une vigueur qui désormais te parvient.

Comme s'il n'y avait plus jamais, pour moi, de nuit : le temps, l'espace, les courbes autour de mon corps refusant de pourrir, ou de s'émietter, tout n'était que lumière blanche – d'un blanc aveuglant de midi (moi pourtant yeux depuis le début fermés !).

A peine si un groupe d'enfants – je ne saurais te dire quand –, deux garçonnets et une fillette, à l'aube suivante, profitant de l'obscurité filtrée, se sont approchés dangereusement. J'ai entendu la petite fille parler doucement, sans peur, dans une innocence fraîche qui m'a donné faim, comme envie

végétale (de figue à ouvrir, de petit-lait à boire,
de pulpe de raisin blanc à écraser entre tes
dents à toi). Elle a appelé :

– Vois ! Son visage... Elle dort. Elle sent
bon !

Un des garçons a murmuré, a tiré la fillette
qui a protesté par une ou deux onomatopées
de douleur, ou de courroux. Ils sont revenus,
cette fois, glissant sur les genoux, ils ont
tourné une ou deux fois autour de moi, sans
me toucher.

– Je vais lui caresser les cheveux, a proposé
la fillette.

– Non, non, a rétorqué le deuxième garçon,
et sa petite voix effrayée est restée dans la
conque de mon oreille.

Ils se sont évanouis. Le soleil a tapé dru sur
mon front. Longtemps après, des Jeep se sont
approchées, ont freiné. Bruits de bottes,
d'ordres ou d'insultes. De nouveau, le silence,
étale en un immense drap mou ; mon corps,
la deuxième journée, se met à s'ouvrir. Une
sorte de rumeur, intérieure à sa chair, cherche
comment se mêler aux odeurs du printemps
déserté.

A l'instant du second crépuscule, une voix
d'inconnue, venant de la ferme voisine
– celle-ci, en monticule, derrière une haie de
roseaux –, pousse sa complainte. Qui ne
s'arrête pas, me semble-t-il, toute la nuit suivante : berceuse me devenant phare, elle doit
savoir, cette voix, que je ne suis plus atteinte

par la pénombre, que mon corps reste dans sa lumière à lui, et ma voix, suspendue en attente de toi, ô Mina !

La plainte scandée de l'inconnue ne semble pas, oh non, un chant des morts : légère, tressautante, presque aiguë parfois, de celles qui annoncent la bienvenue : aux nourrissons, aux garçonnets aux prépuces sur le point d'être coupés, ou à la nuit première pour les vierges craintives, les nouvelles mariées.

Berceuse d'espoir tremblé, d'attente incertaine, où les larmes voilées se perçoivent mais seulement dans le timbre, quand celui-ci va défaillir. Comme si l'inconnue qui ne sait plus si, dans sa cabane cernée, elle doit me fêter ou me pleurer, cette chanteuse, en l'honneur de mon corps qui s'enveloppe de sa vibration à elle, en me langeant lentement, oh oui, cette anonyme, ma sœur, se décidait peut-être, par le jaillissement de sa voix si pure, à me remplacer dorénavant chez les vivants : accompagnatrice, à ma place, de tes sortilèges à venir, de ton prochain ensorcellement, des nuages qui t'attendent, et moi qui ne serai pas là, qui ne pourrai pas te parler.

Elle chante donc pour moi, la paysanne inconnue. Elle te chante. Elle t'annonce. Elle te tisse à moi dans l'azur.

Ils disent : mon « cadavre » ; l'indépendance venue, peut-être diront-ils, ma « statue », comme si on statufiait un corps de femme, n'importe lequel, comme si, simplement, pour le dresser dehors, contre un horizon plat, il ne fallait pas des siècles de silence bâillonné pour nous, les femmes ! En tout cas, chez nous.

La troisième nuit, c'est ce qu'on a prétendu, mon corps a disparu. Fut-ce la paix alors qui se refusa, fut-ce le combat qui, à cet instant, commença ? Pour toi, ou pour toi et moi et l'inconnue qui, une nuit entière, chanta, puis qui, le front douloureux bourdonnant de migraine, dormit toute la journée suivante, négligeant sa couvée d'enfants, son époux et sa vieille belle-mère retombée en enfance.

Ce fut un des garçons de la grotte qui vint, en voleur héroïque, me chercher. Il me porta sur ses épaules. Lourde je suis, et je l'étais davantage, non à cause de la douleur des sévices sous la tente, plutôt à la suite des heures ensoleillées qui m'avaient rendue bourdonnante et fertile, une plante grasse.

Je le reconnus à la paume de ses mains, quand il me tâta de partout. Tu le connais... Je dois parler maintenant ; je dois « te » parler. Souviens-toi, un mois auparavant, lorsque j'avais fait envoyer le messager : « J'ai la nostalgie de mes enfants, avais-je dit ; du moins, des petits. On pourrait me les amener quelques jours, quelques nuits... au maquis ! »

Le messager est redescendu une seconde

fois, huit jours plus tard. Puisque tu avais dit
que ce serait difficile pour ton frère ; que les
enfants d'alentour, s'ils ne le voyaient plus
jouer comme d'habitude, les voisins se poseraient des questions. Alors je te fis dire :
« Viens toi seule et dis que tu vas passer une
semaine chez ta grande sœur ! » et j'ai répété,
n'en pouvant plus : J'ai la nostalgie !

Quand je t'ai accueillie, le surlendemain, tu
riais, plus jeune encore que dans mon souvenir, plus frêle. Aussi, tu te blottissais dans
mes bras, tu pouffais de rire, en gamine. Et
moi qui t'enlaçais à t'étouffer : « Ô ma petite
Jeanne d'Arc ! » m'exclamai-je en français,
devant les garçons qui nous regardaient.

Les « garçons », c'est ainsi que j'ai toujours
appelé les maquisards de mon secteur. Pas par
hasard : ils étaient tous jeunes : quatre avaient
dix-huit ans à peine, et les autres, la vingtaine.
Certains, des rescapés du groupe des étudiants montés, l'été 56, après la grève déclen-
chée par les étudiants des universités. En
outre, une autre moitié, presque tous de jeunes
paysans qui se remettaient des blessures soi-
gnées dans notre infirmerie de campagne, à
deux jours de là. Parmi ces convalescents, ce
garçon, justement.

Peu avant ta visite, une scène dont je me
souviens, du fait que je les appelais tous dans
mon dialecte, « fils ». Un de nos cadres, en
inspection, un homme de la cinquantaine,
avait, devant moi et eux, ironisé :

– En somme, ils sont tous tes fils, dans ce refuge ! Même moi, si je venais...

– Ils m'appellent tous « ma mère », ce n'est pas moi qui le leur ai demandé.

Au contraire, aurais-je pu dire. Ils m'avaient alourdie, ils m'avaient vieillie puisque je me découvrais à la tête de cette quinzaine d'hommes vigoureux, minces, deux ou trois éphèbes parmi eux, racés et musclés – tous baissant le front devant moi par pudeur et, quelquefois même, me baisant la main sur le revers et, en la retournant, sur la paume. Ce geste de dévotion, pour ancrer dans leur mémoire leurs aïeules et leurs mères silencieuses, chacune dispersée et dans l'attente.

Ils m'annexaient donc. Je ne disais rien. Je ne me prêtais pas au jeu. Je n'ai jamais pris garde à ce type de conventions soi-disant familiales. Seulement, maintenant que je te parle, après cette exposition au douar, mon corps se gonfle de tant d'interrogations vers toi, je me dis : « Ces jours de la grotte, pourquoi ? »

Tu as connu le garçon qui, ensuite, est venu me porter. Courbé en deux, à demi plié, ahanant dans la forêt et dans la nuit, mon corps sur son dos, couvrant ses épaules, débordant de ses flancs : je te décris cet instant, je te dessine ce corps d'homme qui me transporte. Lui qui a cherché une nuit durant où m'ensevelir. Lui qui serrait les dents, qui soufflait, pendant ce long effort : soupirs de respect filial.

L'hagiographe qu'ils me destineront un jour pourra chercher ce jeune homme, lui tresser, au nom de tous, lauriers de reconnaissance ; pas encore, tous comptes faits ! Car s'il y a bien un homme qui un jour me limita, qui m'étouffa, qui me trahit, certes malgré lui, ce fut plutôt ce garçon ! Tu le connais, te dis-je. Quand tu as passé les cinq nuits avec nous tous, dans l'abri, toi que j'enveloppais de mes bras, toi qui tremblais et qui me disais que ce n'était pas l'humidité, c'était la tendresse frémissante qui t'habitait, tu connais ce partisan... Tu l'as peut-être oublié.

Lui seul, malgré lui et malgré les autres, il réussit à m'enfermer, à me plomber. Il m'enterra. C'était sa forme d'amour. Alors que, spontanément, l'ennemi avait trouvé ce qui convenait le mieux à mes fibres, à mes muscles : pourrir en plein air, sous des youyous de femmes me transperçant. Non, il m'enterra ! Selon la tradition... Il m'honora, selon l'islam !

Je te l'avoue, vingt ans après, j'en souffre encore : il me porta certes une heure durant, ahanant sous l'effort et c'était par amour ! Un amour qu'il avait voulu filial, mais dont le flou, dont l'œil de cyclone, l'effrayait, je crois.

Il m'enterra, mais c'était pour calmer ce tremblement qui l'avait habité toutes ces nuits, celles que tu as vécues dans la corbeille de mes bras... Nous deux seules, tout au fond de la caverne, et tous ces fils, mes garçons, une douzaine qui se partageaient la garde et s'agglutinaient contre l'entrée.

Lui, le porteur de cadavre, l'ensevelisseur des mères, je l'avais, quelque temps avant ta venue, veillé malade et délirant. Un mois environ il lui fallut pour reprendre force et se mêler aux marches des autres. Moi qui gardais l'initiative, je lui avais promis de l'envoyer bientôt avec un commando, quand il y aurait risque d'accrochage. Je le sentais casse-cou, mais je le savais encore malade...

Il s'imaginait guéri quand chaque nuit, à demi somnambule ou faisant semblant, il se levait dans la grotte, s'approchait de moi à tâtons, avançait, dans le vide, ses mains d'aveugle et quand il rencontrait les miennes, ou cherchait, sinon, mes pieds nus : il les embrassait en silence, les mouillant parfois de larmes. Je me figeais ; je me durcissais : j'attendais que l'acte d'adoration se déroulât ; il allait reprendre sa place, calme, épuisé. Le lendemain matin, seules ses prunelles étincelaient, plus que chez les autres ; seul, il évitait mon regard.

Je devinais mal son trouble ; je m'en écartais. Surtout quand tu fus parmi nous, c'était aussi contre cette cérémonie de l'ombre que je t'enveloppais de mes bras, de ma poitrine, que je veillais longtemps car je savais que je ne supporterais pas qu'il nous palpe ainsi réunies. Que, pour ne pas risquer des larmes

obscures, j'éclairerais la veilleuse, je le nar-
guerais ou je le réveillerais d'un coup.

Ma douce, ma chérie, c'est de cette
volonté-là sans doute que mon inquiétude
pour toi naquit. J'ai pleuré une nuit, toi
endormie et t'agitant contre moi, moi qui
me disais : « Je ne vais pas vieillir. Or, elle
deviendra femme sans ma protection et cette
terre est une terre de chacals cruels pour toute
âme palpitante de jeune fille ! »

Une nuit, j'entendis le garçon se lever,
tâtonner. J'allumai d'un coup. Au fond, les
garçons s'éveillèrent en sursaut, l'un brandit
son arme.

– Qu'y a-t-il ? demanda celui qui stationnait
à l'entrée et qui se profila dans l'étroit couloir
de l'entrée.

Le somnambule, yeux élargis, visage en
masque tiré, n'avait pas bougé.

– Rien, dis-je. Il a une crise de somnambu-
lisme !

Je me souviens du garde qui approchait,
méfiant, qui regarda en direction de toi, ma
fille, réveillée mais souriante. Il allait parler,
préoccupé, soupçonneux. Je tranchai :

– Allez tous dormir ! Je vous dis que ce n'est
rien.

Je soufflai la bougie.

Quinze ou vingt nuits après, c'est à la
lumière de la lune, dans une clairière que je

ne reconnus pas, qu'il choisit de m'enterrer consciencieusement. La tâche accomplie, le dos courbaturé, il se découvrit l'âme soulagée. Il se fondit dans la forêt, silhouette droite, toujours plus droite.

Une clairière, ma chérie, où tu ne viendras jamais. N'importe, c'est sur la place du douar, la voix de l'inconnue chantant inlassablement, c'est là, yeux ouverts, dans tout mon corps pourrissant, que je t'attends.

Épilogue

« *Loin d'Alger, nid de corsaires évanouis*
Ma capitale des douleurs, ô Césarée !

Les oiseaux de tes mosaïques
Flottent dans le ciel de mes larmes. »

« La visiteuse », « l'invitée », « l'étrangère » ou, par moments, « l'étrangère pas tellement étrangère », tous ces vocables me désigneraient-ils donc moi ?

En 1956, en 1957, Zoulikha était vraiment au centre : pas seulement du combat à Césarée, mais des réseaux à maintenir, des liaisons à établir entre les montagnes – avec ses partisans – et les citadins à demi engagés, englués, tremblants, prudents, pleins d'espoir aussi, voyant l'avenir approcher avec ses séismes et ses orages.

Zoulikha, quarante-deux ans, veuve de son troisième mari mort au maquis, ayant été contrainte de laisser ses deux enfants si petits dans la maison de la vieille rue d'El Qsiba, Zoulikha habite encore le cœur de la cité antique. Après son arrestation et les tortures subies, elle fut portée disparue. Auparavant, ayant déployé une parole publique, lyrique, il me semble qu'elle s'est, pour ainsi dire, envolée... Femme-oiseau de la mosaïque, elle paraît aujourd'hui, pour ses concitoyens, à demi effacée ! Or son chant demeure.

Je suis revenue seulement pour le dire. J'entends, dans ma ville natale, ses mots et son silence, les étapes de sa stratégie avec ses attentes, ses fureurs... Je l'entends, et je me trouve presque dans la situation d'Ulysse, le voyageur qui ne s'est pas bouché les oreilles de cire, sans toutefois risquer de traverser la frontière de la mort pour cela, mais entendre, ne plus jamais oublier le chant des sirènes ! Elle sourirait, elle se moquerait, Zoulikha, si on lui avait dit qu'on la comparerait, elle, aux sirènes du grand poème d'Homère.

Dans ma ville, les gens vivent, presque tous, la cire dans les oreilles : pour ne pas entendre la vibration qui persiste du feu d'hier. Pour couler plus aisément dans leur tranquille petite vie, ayant choisi l'amnésie.

Cité antique, ô ma Césarée ! Qui penserait que ces pierres rousses – depuis les deux aqueducs, l'amphithéâtre, le cirque, les thermes, et jusqu'au phare, index dressé en avant du rivage effondré –, ces pierres seules gardent mémoire ! Même si ces dernières (celles du

moins qui ont survécu aux successives des-
tructions, à commencer par celle du terrible
Firmin le Numide, au IVᵉ siècle, puis celle des
Vandales, cent cinquante ans après) sont
exposées dans le musée où ne viennent les
contempler que quelques touristes.

En fait, Césarée – deux mille ans d'histoire,
elle qui pourrait presque rivaliser avec Cirta la
haute et Carthage la reconstruite –, la ville où
j'ai été bébé rampant, fillette ânonnante, titu-
bante, puis heureuse de sauter à la corde, dans
un humble patio tout proche de celui de Zoulikha, Césarée de Maurétanie – autrefois Iol, un
nom de vent et d'orage, devenu plus tard nid de
corsaires et refuge d'Andalous expatriés, puis
ville pour les « relégués » des successifs pou-
voirs d'Alger, y compris celui de l'ex-autorité
coloniale française –, je la vois désormais, elle,
ma « capitale des douleurs », dans un espace
totalement inversé... Les pierres seules sont sa
mémoire à vif, tandis que des ruines s'effon-
drent sans fin dans la tête de ses habitants.

Pourquoi le constater après avoir repar-
couru la vie – la « passion » – de Zoulikha ?

Moi, la fillette de la ville revenue de l'exil
pour quelques jours, pas plus, oui, décidément « l'étrangère pas tellement étrangère »,
moi, à force d'avoir écouté Mina et Hania,
Dame Lionne ainsi que, dans les collines,
au-dessus de la ville, Zohra Oudai (ces deux
dernières dames, combien leur reste-t-il
désormais à vivre ?), me voici de retour.

De retour ? Non pas de la même façon qu'en 1975 (« treize ans après l'indépendance ! » me reprochait déjà Mina), non pas en 1981 lorsque je m'étais mise à reconstituer sur un même fil le chapelet des souvenirs livrés – et que j'imaginais déjà l'oratorio des voix suspendues, non ! Il me faut l'avouer : je reviens dans ma ville… vingt ans plus tard. Tant et si bien que je n'ose même plus me présenter devant Mina (avec sa voix ardente et ses souvenirs en épines restées fichées au cœur) ; je ne me risque même pas à demander au moins à mon oncle maternel (« le plus vieux notaire de tout le pays, dit-on de lui, mais actif »), je n'ose même pas questionner son épouse – qui a vieilli, elle aussi, mais qui connaît si bien encore le monde des femmes ; je ne me tourne même pas vers les cousines (mères avec enfants déjà grandis) pour poser, à voix haute, la question : « Dame Lionne (Lla Lbia) est toujours vivante, je l'espère ? »

Non, je n'ai pas ce courage. Zohra Oudai doit garder toujours sa façon de hocher dédaigneusement la tête, sur le mode d'un pessimisme inguérissable quand on évoque devant elle les citadins de Césarée. Or je ne veux pas qu'on me dise qu'elle a rejoint, à son tour, selon toute vraisemblance, ses fils morts pendant la guerre d'indépendance.

Je retrouve l'espace d'enfance, moi, « l'écouteuse », et il semble que je n'ai qu'à

aller contempler à nouveau la mosaïque la
plus étrange du musée : les trois femmes-
oiseaux, la flûte double et la lyre à la main,
jouent encore leur musique pour Ulysse
immobilisé sur le bateau qui va disparaître.

Je reviens si tard et je me décide à dérouler
enfin le récit ! Ce retard me perturbe, me
trouble, me culpabilise. Comme si mon lieu
d'origine s'arrachait, mais à quoi : à mon
propre oubli ?

Je comprends si lentement : parce que j'ai
désiré soudain rentrer – admirer les belhombras de la place, vivre deux jours ou trois dans
la petite ville de mon père, du père de mon père,
de ma mère, de la mère de ma mère, m'emplir
les yeux de la vue des crêtes du Dahra au-dessus
de la Méditerranée, vérifier que le phare
millénaire reste là, inentamé, que le théâtre
romain, au cœur du vieux quartier arabe, garde
ses ruines mal entretenues, ainsi, dans ce décor
de pierres et d'histoire non altéré, je commence
à percevoir combien les êtres ici, hommes
faits ou garçons oisifs, s'oublient eux-mêmes
et qu'il faut sans doute les oublier.

Ils persistent là, ombres à peine mouvantes ; ils hantent cette cité dont la majesté
est trop ample pour eux, faite par et pour
des princes savants – oui, je les vois flotter
en ombres qui n'entendent aucun chant
perdu... Rien, pas même la voix des fous, des
désespérés ou des frénétiques s'accrochant
aujourd'hui à ces montagnes qui surplom-

bent. Les citadins tranquilles qui s'ennuient, dans les rues et les places de la ville, reculent devant tant de violents sursauts.

Puisque j'ai désiré revenir, vingt ans plus tard, vingt ans trop tard, pour faire revivre le récit d'hier scandé par les mots, la voix, la présence dans l'air de Zoulikha, que représentent-ils, ces violents qui surgissent, menaçants ? Eux qui tuent, qui violent et détruisent, nouveaux Firmin ou Vandales furieux, ressuscités du plus lointain passé !

Les autres, presque tous les autres, mais en ville ? Hommes et femmes en famille, avec leur progéniture autour, qui s'écoulent dans les rues de Césarée, d'Alger et des autres villes rétrécies, qui se laissent porter sans savoir où, mornes et dans le désarroi – ceux qui s'affalent devant la télévision, ceux qui s'amassent dans les boîtes, disent-ils, des beaux hôtels, des villas-blockhaus, des affreux palaces (pas à Césarée, désormais la modeste, mais ailleurs dans la capitale), les fils de nantis et les autres, en vérité mes concitoyens ordinaires ?

Ils veulent que rien ne se soit passé, ou presque pas passé... Qu'il n'y ait pas eu, ces derniers dix ans au moins, cette nouvelle saignée. Elle a pourtant continué, non loin, le printemps dernier, transmuée en feu d'une colère neuve.

Par bonheur, quelques-uns, dans cette foule informe, restent des veilleurs ; autour d'eux, des milliers d'innocents sont portés disparus, à leur tour, parfois sans sépulture.

A l'image de Zoulikha dont Hania a cherché, dans la forêt, la tombe, tant de victimes effacées dans l'ombre, la confusion, l'épouvante.

La foule, à Alger, et presque pareillement à Césarée, est emportée dans le fleuve morne du temps. Elle te signifie (car, n'est-ce pas, tu t'apprêtes à revenir, suivre le corps de ton père mort, entre-temps) : Oublie avec nous ! Fais comme si... Nous avons désormais, comme tant d'autres peuples, nos hontes, nos tatouages marqués au fer sur le front, nos souillures sur la face !... Eh quoi, nous sommes ordinaires comme tant d'autres nations qui n'ont pu éviter troubles et convulsions : à l'exemple de celle-ci avec sa nuit de la Saint-Barthélemy, ou plus près de nous, sa semaine sanglante de mai 1871 contre la Commune de Paris (là, précisément où tu as choisi d'habiter) – la liste serait longue à propos de tant de guerres intestines dans des pays voisins, à commencer par l'Espagne, notre Andalousie d'hier !...

Nous entretenons, à notre tour et à demeure, nos tortionnaires, nos gardes-chiourmes, nos gens d'armes qui tirent à balles réelles sur des gamins frondeurs, en somme nos bagnes d'Alger, qu'on appelait, tu le sais, il y a seulement quatre ou cinq siècles, nos « bains d'Alger » ! Les voici, ces derniers, revenus plus sanglants, modernisés.

Quant au retour de la fille prodigue... ta rencontre avec Zoulikha, qui vit encore mais seulement pour toi et ses deux filles... Là-bas, dans chaque cité – petite ou non, antique ou pas – surgissent d'autres Zoulikha. Dans chaque lieu où se sont entremêlés peur et attente, audace et, hélas, crime sauvage dans l'ombre, une figure de tragédie, en un éclair, une seule nuit ou durant toute une année, illumine notre espace vidé.

Toi pour l'instant tu tournes, tu cherches pourquoi, en vérité, ton récit a plané inachevé... vingt ans auparavant. Alors qu'il était déjà si tard.

Mon écriture, avec ces seuls mots de l'écoute, a glissé de mes doigts, différée, en retard, enchaînée si longtemps. Et je songe au héros grec qui voulait, malgré tout, écouter, lui et lui seul, trois musiciennes dressées, lui que, pour cela, on a attaché au mât du navire. Du navire qui s'éloigne.

Je ne m'éloigne pas ; je n'ai pas demandé à être immobilisée. Non ! L'image de Zoulikha, certes, disparaît à demi de la mosaïque. Mais sa voix subsiste, en souffle vivace : elle n'est pas magie, mais vérité nue, d'un éclat aussi pur que tel ou tel marbre de déesse, ressorti hors des ruines, ou qui y reste enfoui.

Et toi ?

Quand serai-je vraiment de retour pour gravir le chemin qui monte au sommet de Césarée ? Là où, sous mille couches de ténèbres, dort désormais mon père, les yeux ouverts.

Juin 1981, Paris,
septembre 2001, New York.

Table

Table

Du même auteur :

Prix Maurice-Maeterlinck (Bruxelles) – 1995.
International Literary Neustadt Prize (Etats-Unis) – 1996.
Prix international de Palmi (Italie) – 1998.
Prix de la Paix des éditeurs allemands (Francfort) – 2000.

La Soif, roman, Julliard, 1957.
Les Impatients, roman, Julliard, 1958.
Les Enfants du nouveau monde, roman, Julliard, 1962.
Les Alouettes naïves, roman, Julliard, 1967.
Femmes d'Alger dans leur appartement, nouvelles,
Editions des Femmes, 1980 ; Albin Michel, 2002.
L'Amour, la fantasia, roman, Lattès 1985 ; Albin Michel, 1995.
Ombre sultane, roman, Lattès, 1987.
Prix Liberatur (Francfort) – 1989.
Loin de Médine, roman, Albin Michel, 1991.
Chronique d'un été algérien, Plume, 1993.
Vaste est la prison, roman, Albin Michel, 1995.
Le Blanc de l'Algérie, récit, Albin Michel, 1996.
Oran, langue morte, nouvelles, Actes Sud, 1997.
Prix Marguerite-Yourcenar (Etats-Unis).
Les Nuits de Strasbourg, roman, Actes Sud, 1997.
Ces voix qui m'assiègent, essai, Albin Michel, 1999.

FILMS
(LONGS MÉTRAGES)

La Nouba des femmes du mont Chenoua, 1978.
Prix de la critique internationale –
Biennale de Venise (Italie), 1979.
La Zerda ou les chants de l'oubli, 1982.

THÉÂTRE

Filles d'Ismaël dans le vent et la tempête,
drame musical en 5 actes, 2000.
Aïcha et les femmes de Médine, drame musical en 3 actes, 2001.

Assia Djebar

L'Amour, la fantasia

ASSIA DJEBAR

Loin de Médine

Texte intégral

Assia Djebar
Femmes d'Alger
dans leur appartement

Composition réalisée par IGS

IMPRIMÉ EN ESPAGNE PAR LIBERDÚPLEX
Barcelone
Dépôt légal Éditeur : 63403 - 08/2005
Édition 02
LIBRAIRIE GÉNÉRALE FRANÇAISE - 31,rue de Fleurus - 75278 Paris Cedex 06
ISBN : 2 - 253 - 10816 - 2

31/0816/4